상위권____ ___ __ 산 학습지

응용
연산

B3
초2~초3

세 자리 수와 네 자리 수의 덧셈, 뺄셈

사고가 자라는 수학
씨투엠

응용연산 : 상위권으로 가는 문제해결 연산 학습지

요즘 아이들은 초등학교 입학 전에 연산 문제집 한 권 정도는 풀어본 경험이 있습니다. 어릴 때부터 연산 문제를 많이 풀었기 때문에 아이들은 아직 학교에서 배우지 않은 계산 문제를 슥슥 풀어서 부모님들을 흐뭇하게 만들기도 합니다. 그런데 아이들의 연산 능력은 날로 높아지지만 수학 실력은 과거에 비해 그다지 늘지 않은 것 같습니다. 사실 진짜 수학 실력은 연산 문제나 사고력 수학 문제를 주로 푸는 초등 저학년 때는 잘 드러나지 않습니다. 응용 문제를 본격적으로 풀기 시작하는 초등 3, 4학년이 되어서야 아이의 수학 실력을 판별할 수 있습니다.

초등 수학에서 연산이 가장 중요한 것은 부정할 수 없는 사실입니다. 중학생, 고등학생이 되어서 부족한 연산 능력을 키우는 것은 거의 불가능합니다. 이러한 연산의 특수성 때문에 아이들은 어린 나이부터 연산을 반복적으로 연습하여 실력을 키우려고 합니다. 이렇게 열심히 연산을 공부하는데도 왜 어떤 아이들은 수학 문제를 잘 풀지 못하는 것일까요? 그 이유는 현재 연산 학습의 목적이 단지 '계산을 잘 하는 것'이 되어버렸기 때문입니다. 연산은 연산 자체가 목적이 될 수 없으며 수학의 진짜 목표인 문제를 잘 풀기 위한 수단으로 연산을 학습해야 합니다.

과거 초등 수학 교과서의 연산 단원은 ① 원리와 연습 ② 문장제 활용의 단순한 구성이었습니다만 요즘의 교과서는 많이 달라졌습니다. 원리와 연습은 그대로이거나 조금 줄었지만 연산을 응용하는 방식은 좀 더 다양해졌습니다. 계산 능력의 향상만을 꾀하는 것이 아니라 여러 가지 퍼즐이나 수학적 상황 등을 해결할 수 있는 '응용력'에 초점을 맞추고 있다는 것을 보여주는 변화입니다. 따라서 저희는 연산 학습지도 원리나 연습 위주에서 벗어나 실제 문제를 해결할 수 있는 능력에 포인트를 맞추어야 한다고 생각합니다.

'연산은 잘 하는데 수학 문제는 왜 못 풀까요?'에 대한 대답이자 대안으로 저희는 「응용연산」이라는 새로운 컨셉의 연산 학습지를 만들었습니다. 연산 원리를 이해하고 연습하는 것에 그치지 않고, 익힌 것을 활용하는 방법을 바로 보여줄 수 있어야 아이들이 수학 문제에 연산을 효과적으로 적용할 수 있습니다. 연습은 꼭 필요한 만큼만 하고, 더 중요한 응용 문제에 바로 도전함으로써 연산과 문제 해결이 단절되지 않게 하는 것이 「응용연산」에서 기대하는 가장 큰 목표입니다.

「응용연산」을 통해 아이들이 왜 연산을 해야 하는지 스스로 느낄 수 있을 것이라 자신합니다. 이제 연산은 '원리'나 '연습'이 아닌 스스로 문제를 해결할 수 있는 '응용력'입니다.

응용연산의 구성과 특징

- 매일 부담없이 4쪽씩 연산 학습
- 매주 4일간 단계별 연산 학습과 응용 문제를 통한 연산 실력 확인
- 매주 1일 형성평가로 테스트 및 복습

주차별 구성

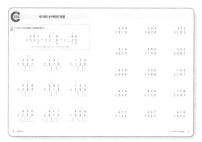

원리연산
대표 문제를 통해 학습하는 매일 새로운 단계별 연산 학습

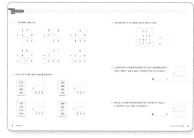

응용연산
기본 문제와 응용 문제를 통한 응용력과 문제해결력 증진

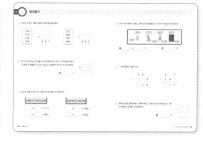

형성평가
가장 중요한 유형을 다시 한번 복습하며 주차 학습 마무리

1주차	1일	2일	3일	4일	5일
	6쪽 ~ 9쪽	10쪽 ~ 13쪽	14쪽 ~ 17쪽	18쪽 ~21쪽	22쪽 ~ 24쪽

2주차	1일	2일	3일	4일	5일
	26쪽 ~ 29쪽	30쪽 ~ 33쪽	34쪽 ~ 37쪽	38쪽 ~41쪽	42쪽 ~ 44쪽

3주차	1일	2일	3일	4일	5일
	46쪽 ~ 49쪽	50쪽 ~ 53쪽	54쪽 ~ 57쪽	58쪽 ~61쪽	62쪽 ~ 64쪽

4주차	1일	2일	3일	4일	5일
	66쪽 ~ 69쪽	70쪽 ~ 73쪽	74쪽 ~ 77쪽	78쪽 ~81쪽	82쪽 ~ 84쪽

정답 및 해설

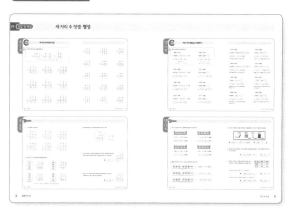

문제와 답을 한눈에 볼 수 있습니다.

이 책의 차례

1주차

세 자리 수의
덧셈 · 뺄셈

세 자리 수의 덧셈 · 뺄셈 익히기

세 자리 수끼리의 덧셈

 개념원리

세 자리 수끼리 덧셈하는 방법을 알아봅시다.

```
    1              1  1           1  1
  4  8  6        4  8  6        4  8  6
+ 3  2  9   ➡  + 3  2  9   ➡  + 3  2  9
        5           1  5        8  1  5
```

같은 자리 숫자끼리의 합이 10보다 크거나 같으면 받아올려 계산합니다.

```
     □                 □                 □
  3  2  4           2  4  1           7  3  8
+ 5  2  7         + 6  7  8         + 1  5  9
 □ □ □            □ □ □            □ □ □
```

```
   □  □             □  □             □  □
  2  4  6           4  9  2           1  3  3
+ 3  8  6         + 3  1  8         + 5  6  9
 □ □ □            □ □ □            □ □ □
```

```
   □  □                □  □                □  □
  8  5  6              4  5  7              6  5  9
+ 7  5  8            + 6  7  3            + 9  9  4
□ □ □ □           □ □ □ □           □ □ □ □
```

```
    2 3 0          3 0 4          3 5 5
  + 5 1 0        + 4 2 0        + 1 6 2
  _____        _____        _____


    3 1 8          5 8 2          3 4 2
  + 2 7 3        + 1 4 5        + 4 6 7
  _____        _____        _____


    4 2 9          5 4 2          7 5 4
  + 3 9 4        + 2 6 8        + 1 6 7
  _____        _____        _____


    6 7 4          8 2 6          7 2 8
  + 5 4 9        + 1 7 9        + 4 9 3
  _____        _____        _____


    4 7 2          3 6 7          6 7 8
  + 1 3 4        + 3 4 7        + 6 5 2
  _____        _____        _____
```

1 ☐ 안에 알맞은 수를 쓰세요.

```
    3  5  □              6  □  8              □  4  □
 +  2  □  8          +  2  7  □          +  2  □  8
 ──────────          ──────────          ──────────
    □  2  5              □  2  5              8  3  0
```

```
    4  6  □              □  3  7              □  6  □
 +  8  □  7          +  7  □  □          +  2  □  9
 ──────────          ──────────          ──────────
 1  □  1  5              □  3  2  5           □  0  5  2
```

2 주어진 수 중 두 수를 사용하여 덧셈식을 완성하세요.

```
 ┌─────┐        ┌───────┐            ┌─────┐        ┌───────┐
 │ 374 │        │       │            │ 256 │        │       │
 │ 272 │      + └───────┘            │ 486 │      + └───────┘
 │ 394 │        ─────────            │ 495 │        ─────────
 │ 282 │          6  5  6            │ 235 │          7  2  1
 └─────┘                             └─────┘
```

```
 ┌─────┐        ┌───────┐            ┌─────┐        ┌───────┐
 │ 156 │        │       │            │ 288 │        │       │
 │ 168 │      + └───────┘            │ 366 │      + └───────┘
 │ 276 │        ─────────            │ 277 │        ─────────
 │ 254 │          4  2  2            │ 395 │          6  4  3
 └─────┘                             └─────┘
```

3 다음 덧셈식에서 ㉠, ㉡이 실제로 나타내는 수를 각각 쓰세요.

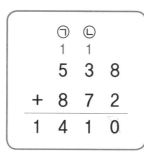

㉠:

㉡:

4 민수네 학교에서는 연극을 보러 공연장에 가려고 합니다. 공연장에는 일반석이 765석, 특별석이 346석 있습니다. 공연장의 좌석은 모두 몇 석일까요?

답 _____ 석

5 제주도로 가는 비행기에 어른 812명과 어린이 297명이 타고 있습니다. 이 비행기에 타고 있는 사람은 모두 몇 명일까요?

답 _____ 명

여러 가지 방법으로 덧셈하기

개념
원리

여러 가지 방법으로 덧셈을 해 봅시다.

$$365+197$$
$$=(360+\boxed{190})+(\boxed{5}+7)$$
$$=\boxed{550}+12=\boxed{562}$$

365를 360과 5로,
197을 190과 7로 나누어 더합니다.

$$365+197$$
$$=365+200-\boxed{3}$$
$$=\boxed{565}-3=\boxed{562}$$

197을 200−3으로 생각하여
365에 200을 더하고, 3을 뺍니다.

$$475+289$$
$$=(470+\boxed{})+(\boxed{}+9)$$
$$=\boxed{}+14=\boxed{}$$

$$475+289$$
$$=475+300-\boxed{}$$
$$=\boxed{}-11=\boxed{}$$

$$258+495$$
$$=(250+\boxed{})+(\boxed{}+5)$$
$$=\boxed{}+13=\boxed{}$$

$$258+495$$
$$=258+500-\boxed{}$$
$$=\boxed{}-5=\boxed{}$$

$$527+198$$
$$=(520+\boxed{})+(\boxed{}+8)$$
$$=\boxed{}+15=\boxed{}$$

$$527+198$$
$$=527+200-\boxed{}$$
$$=\boxed{}-2=\boxed{}$$

279+685

$= (270 + \boxed{}) + (\boxed{} + \boxed{})$

$= \boxed{} + \boxed{} = \boxed{}$

270과 680의 합에 9와 5의 합을 더합니다.

525+399

$= 525 + \boxed{} - \boxed{}$

$= \boxed{} - \boxed{} = \boxed{}$

399를 더하는 대신 400을 더하고 1을 뺍니다.

503+459

$= (500 + \boxed{}) + (\boxed{} + \boxed{})$

$= \boxed{} + \boxed{} = \boxed{}$

500과 400의 합에 3과 59의 합을 더합니다.

237+586

$= 237 + \boxed{} - \boxed{}$

$= \boxed{} - \boxed{} = \boxed{}$

586을 더하는 대신 600을 더하고 14를 뺍니다.

346+508

$= 346 + \boxed{} + \boxed{}$

$= \boxed{} + \boxed{} = \boxed{}$

508을 500+8로 생각하여 346과 500의
합에 8을 더합니다.

697+237

$= \boxed{} + 237 - \boxed{}$

$= \boxed{} - \boxed{} = \boxed{}$

697을 700−3으로 생각하여 700과 237의
합에서 3을 뺍니다.

648+203

$= 648 + \boxed{} + \boxed{}$

$= \boxed{} + \boxed{} = \boxed{}$

203을 200+3으로 생각하여 648과 200의
합에 3을 더합니다.

458+395

$= 458 + \boxed{} - \boxed{}$

$= \boxed{} - \boxed{} = \boxed{}$

395를 더하는 대신 400을 더하고 5를 뺍니다.

1 상자 속 수를 한 번씩 모두 사용하여 덧셈식을 모두 완성하세요.

187 263 362 254

□ + □ = 441

□ + □ = 625

168 189 174 165

□ + □ = 339

□ + □ = 357

375 463 267 245

□ + □ = 730

□ + □ = 620

437 287 259 395

□ + □ = 832

□ + □ = 546

2 올바른 식이 되도록 숫자 카드 2장의 순서를 바꾸어 식을 쓰세요.

4 6 1 + 2 9 5 = 684 ➡ _____

2 4 5 + 3 8 7 = 830 ➡ _____

3 5 8 + 1 6 2 = 493 ➡ _____

3 지은이가 문구점에서 산 물건 2개의 값이 1000원입니다. 지은이가 산 물건은 무엇일까요?

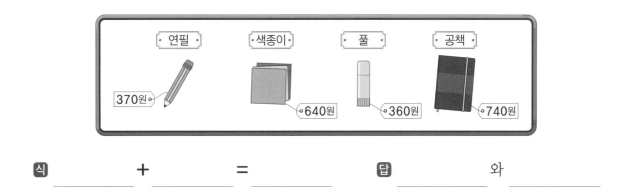

연필	색종이	풀	공책
370원	640원	360원	740원

식 _____ + _____ = _____   답 _____ 와 _____

4 공장에서 자전거를 2월에는 472대, 3월에는 369대 만들었습니다. 2월과 3월에 만든 자전거는 모두 몇 대일까요?

식 _____   답 _____ 대

5 오른쪽은 도희네 학교 2학년과 3학년의 학생 수를 나타낸 표입니다. 표를 보고 물음에 맞는 식과 답을 쓰세요.

학생 수(명)	남학생	여학생
2학년	348	353
3학년	298	309

도희네 학교의 2학년 학생은 모두 몇 명일까요?

식 _____   답 _____ 명

도희네 학교의 2학년과 3학년 남학생은 모두 몇 명일까요?

식 _____   답 _____ 명

세 자리 수 뺄셈

개념
원리

세 자리 수의 뺄셈 방법을 알아봅시다.

```
        1 10              10               10
      1 3 2 5           2 1 10           2 1 10
    1 3 2 5          1 3 2 5          1 3 2 5
  -   8 4 7        -   8 4 7        -   8 4 7
          8              7 8          4 7 8
```

같은 자리 숫자끼리 뺄 수 없으면 받아내려 계산합니다.

```
      □ □                □ □                □ □
    8 2 9            9 7 2            4 1 3
  - 1 5 4          - 5 3 5          - 2 9 2
    □ □ □            □ □ □            □ □ □
```

```
        □ □                □ □                □ □
  1 8 3 7          1 7 8 3          1 9 1 7
  -   3 6 1        -   3 1 9        -   5 5 3
    □ □ □ □          □ □ □ □          □ □ □ □
```

```
        □ □                  □                □ □
                         □ □   □
  1 2 7 4          1 3 2 3          1 2 0 6
  -   8 2 8        -   6 6 5        -   8 9 4
    □ □ □            □ □ □            □ □ □
```

```
    5 7 0          8 4 9          7 6 2
  - 3 1 0        - 6 0 7        - 4 5 1


    9 4 7          6 7 0          2 8 4
  - 2 1 8        - 5 5 9        - 1 9 2


    7 0 0          3 8 5          5 2 0
  - 1 4 7        - 2 9 8        - 1 8 9


    8 3 3          9 2 6          6 6 1
  - 4 8 6        - 1 7 9        - 2 8 5


  1 3 0 5        1 6 4 1        1 4 3 5
  -   2 3 7      -   8 5 2      -   7 4 7
```

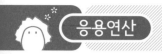
1 ☐ 안에 알맞은 수를 쓰세요.

$$
\begin{array}{r}
4\ 3\ \boxed{} \\
-\ 1\ \boxed{}\ 9 \\
\hline
\boxed{}\ 5\ 6
\end{array}
\qquad
\begin{array}{r}
5\ \boxed{}\ 5 \\
-\ 2\ 6\ \boxed{} \\
\hline
\boxed{}\ 1\ 7
\end{array}
\qquad
\begin{array}{r}
\boxed{}\ 3\ \boxed{} \\
-\ 4\ \boxed{}\ 7 \\
\hline
2\ 4\ 0
\end{array}
$$

$$
\begin{array}{r}
\boxed{}\ 6\ \boxed{} \\
-\ 3\ \boxed{}\ 8 \\
\hline
2\ 1\ 4
\end{array}
\qquad
\begin{array}{r}
\boxed{}\ 3\ 3 \\
-\ 7\ 2\ \boxed{} \\
\hline
2\ \boxed{}\ 5
\end{array}
\qquad
\begin{array}{r}
\boxed{}\ 4\ \boxed{} \\
-\ 2\ 5\ 8 \\
\hline
1\ \boxed{}\ 2
\end{array}
$$

2 주어진 수 중 두 수를 사용하여 뺄셈식을 완성하세요.

297 154 254 178	☐ − ☐ = 1 4 3
345 337 257 289	☐ − ☐ = 8 8
298 469 567 394	☐ − ☐ = 1 7 1
145 198 249 287	☐ − ☐ = 1 4 2

3 같은 모양에 있는 두 수의 차를 구하세요.

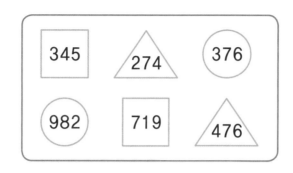

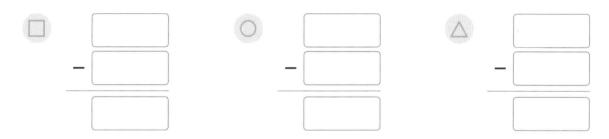

4 문구점에 공책 420권이 있었습니다. 공책 157권이 팔렸다면 남은 공책은
   몇 권일까요?

   답 _____ 권

5 동현이는 줄넘기를 어제는 289번 하였고, 오늘은 432번 하였습니다. 오늘
   은 어제보다 몇 번을 더 하였을까요?

   답 _____ 번

여러 가지 방법으로 뺄셈하기

개념
원리

여러 가지 방법으로 뺄셈을 해 봅시다.

$$871-565$$

$$=871- \boxed{500} -65$$

$$= \boxed{371} -65= \boxed{306}$$

871에서 500을 먼저 뺀 후
그 계산 결과에서 65를 뺍니다.

$$736-589$$

$$=736- \boxed{600} +11$$

$$= \boxed{136} +11= \boxed{147}$$

589를 빼는 대신 736에서
600을 빼고 11을 더합니다.

$$682-275$$

$$=682- \boxed{} -75$$

$$= \boxed{} -75= \boxed{}$$

$$825-392$$

$$=825- \boxed{} +8$$

$$= \boxed{} +8= \boxed{}$$

$$765-348$$

$$=765- \boxed{} -48$$

$$= \boxed{} -48= \boxed{}$$

$$923-188$$

$$=923- \boxed{} +12$$

$$= \boxed{} +12= \boxed{}$$

$$549-117$$

$$=549- \boxed{} -17$$

$$= \boxed{} -17= \boxed{}$$

$$642-296$$

$$=642- \boxed{} +4$$

$$= \boxed{} +4= \boxed{}$$

$972 - 468$

$= 972 - \boxed{} - 68$

$= \boxed{} - 68 = \boxed{}$

972에서 400을 먼저 뺀 후 그 계산 결과에서 68을 뺍니다.

$595 - 343$

$= 595 - \boxed{} - \boxed{}$

$= \boxed{} - 43 = \boxed{}$

595에서 300을 먼저 뺀 후 그 계산 결과에서 43을 뺍니다.

$602 - 189$

$= 402 + (\boxed{} - 189)$

$= \boxed{} + 11 = \boxed{}$

602를 402와 200으로 나눈 후 402에 200과 189의 차를 더합니다.

$637 - 289$

$= 337 + (300 - \boxed{})$

$= 337 + \boxed{} = \boxed{}$

637을 337과 300으로 나눈 후 337에 300과 289의 차를 더합니다.

$715 - 397$

$= 715 - \boxed{} + \boxed{}$

$= \boxed{} + 3 = \boxed{}$

397을 빼는 대신 400을 빼고 3을 더합니다.

$912 - 196$

$= 912 - \boxed{} + 4$

$= \boxed{} + \boxed{} = \boxed{}$

196을 빼는 대신 200을 빼고 4를 더합니다.

$846 - 128$

$= (800 - \boxed{}) + (46 - 28)$

$= \boxed{} + \boxed{} = \boxed{}$

800과 100의 차에 46과 28의 차를 더합니다.

$772 - 459$

$= (700 - \boxed{}) + (72 - 59)$

$= \boxed{} + \boxed{} = \boxed{}$

700과 400의 차에 72와 59의 차를 더합니다.

1 상자 속 수를 한 번씩 모두 사용하여 뺄셈식을 모두 완성하세요.

463 364 971 896

□ − □ =532

□ − □ =508

786 438 576 659

□ − □ =127

□ − □ =138

543 649 321 865

□ − □ =216

□ − □ =222

376 256 365 298

□ − □ =78

□ − □ =109

2 주어진 수 중 두 수를 사용하여 차가 가장 작은 식을 만드세요.

792   904   412   591

□ − □ = □

481   305   611   788

□ − □ = □

3 미주는 주머니에서 구슬 2개를 꺼내 수의 차가 500에 가장 가까운 뺄셈식을 만들려고 합니다. 구슬의 수로 뺄셈식을 만드세요.

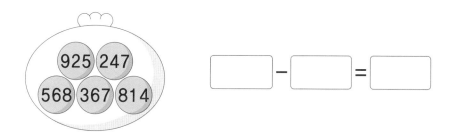

□ − □ = □

4 수직선을 보고 □ 안에 알맞은 수를 쓰세요.

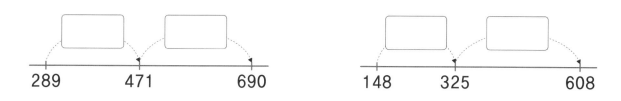

289   471   690   148   325   608

5 다음은 도훈이네 학교의 학년별 학생 수를 나타낸 표입니다. 물음에 맞는 식과 답을 쓰세요.

학년	1학년	2학년	3학년	4학년	5학년	6학년
학생 수(명)	397	389	404	385	416	421

학생 수가 가장 많은 학년의 학생은 가장 적은 학년의 학생보다 몇 명 더 많을까요?

식   답   명

3학년 학생 중 여학생은 198명입니다. 3학년 남학생은 몇 명일까요?

식   답   명

1 주어진 수 중 두 수를 사용하여 덧셈식을 완성하세요.

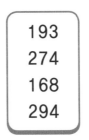

193
274
168
294

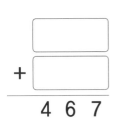

+
　4　6　7

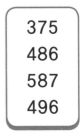

375
486
587
496

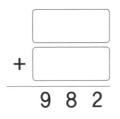

+
　9　8　2

2 현지네 학교에서는 연극을 보러 공연장에 가려고 합니다. 공연장에는 일반석이 683석, 특별석이 129석 있습니다. 공연장의 좌석은 모두 몇 석일까요?

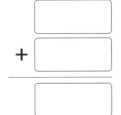

+

답 　　　　　　 석

3 상자 속 수를 한 번씩 모두 사용하여 덧셈식을 모두 완성하세요.

596 477 365 296

□ + □ = 773

□ + □ = 961

244 497 578 263

□ + □ = 760

□ + □ = 822

4 연우가 문구점에서 산 물건 **2**개의 값이 **940**원입니다. 연우가 산 물건은 무엇일까요?

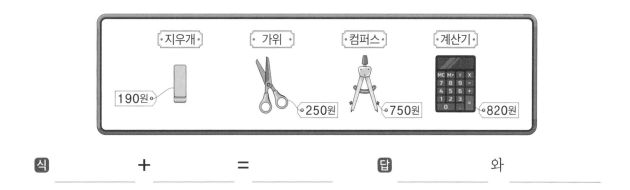

식 _____ + _____ = _____   답 _____ 와 _____

5 ☐ 안에 알맞은 수를 쓰세요.

```
    3 8 ☐              4 ☐ 7
  - 1 ☐ 4            - 2 9 ☐
  ─────────          ─────────
    ☐ 2 6              ☐ 1 7
```

6 동현이는 줄넘기를 어제는 **138**번 하였고, 오늘은 **397**번 하였습니다. 오늘은 어제보다 몇 번을 더 하였을까요?

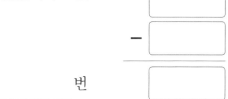

답 _____ 번

7 상자 속 수를 한 번씩 모두 사용하여 뺄셈식을 모두 완성하세요.

734 840 555 385

□ − □ = 455

□ − □ = 179

642 359 876 243

□ − □ = 399

□ − □ = 517

8 수직선을 보고 □ 안에 알맞은 수를 쓰세요.

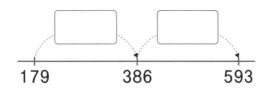

179   386   593

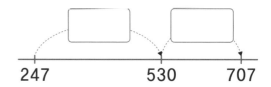

247   530   707

9 서울역에서 출발하는 기차에 890명이 타고 있었습니다. 다음 역에서 268명이 내리고 새로 탄 사람은 없습니다. 기차에 타고 있는 사람은 몇 명일까요?

식 _____   답 _____ 명

2주차

세 자리 수
덧셈·뺄셈 활용

덧셈·뺄셈으로 여러 가지 문제 해결하기

두 수의 합과 차

개념
원리

두 수의 합과 차를 구해 봅시다.

| 384 | 531 |

합 384 + 531 = 915

차 531 − 384 = 147

| 275 | 451 |

합 ☐ + ☐ = ☐

차 ☐ − ☐ = ☐

| 321 | 601 |

합 ☐ + ☐ = ☐

차 ☐ − ☐ = ☐

| 839 | 147 |

합 ☐ + ☐ = ☐

차 ☐ − ☐ = ☐

| 566 | 284 |

합 ☐ + ☐ = ☐

차 ☐ − ☐ = ☐

| 715 | 196 |

합 ☐
+ ☐
☐

차 ☐
− ☐
☐

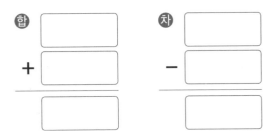

| 673 | 119 |

합 ☐
+ ☐
☐

차 ☐
− ☐
☐

```
    3 5 6          7 2 9          6 8 4
  + 2 1 7        - 3 7 4        + 1 8 2
  ─────────      ─────────      ─────────
```

```
    9 8 5          5 6 5          4 1 3
  - 8 1 6        + 2 1 8        - 2 6 8
  ─────────      ─────────      ─────────
```

```
    7 6 6        1 0 2 9          2 5 8
  + 4 1 7        - 3 7 4        + 9 5 6
  ─────────      ─────────      ─────────
```

345+616   906−452

672−349   768+334

562+275   807−154

1 빈 곳에 알맞은 수를 쓰세요.

| 347 | +465 | | −527 | | +124 | |

| 1024 | −372 | | +304 | | −687 | |

2 가로 방향으로 덧셈, 세로 방향으로 뺄셈을 하여 빈칸에 알맞은 수를 쓰세요.

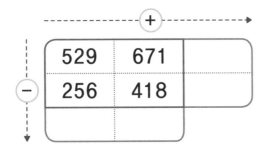

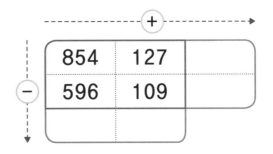

469	378	
266	122	

563	396	
277	215	

3 주어진 수를 사용하여 덧셈식 **2**개와 뺄셈식 **2**개를 만드세요.

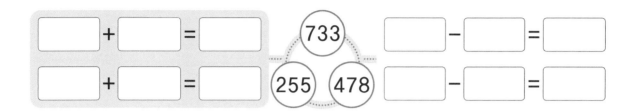

4 다음을 보고 물음에 맞는 식과 답을 쓰세요.

> 소연: 우리 학교 학생은 모두 **716**명이야.
> 동호: 우리 학교 학생 수는 소연이네 학교 학생보다 **138**명이 더 많아.
> 하선: 우리 학교 학생 수는 동호네 학교 학생보다 **287**명이 더 적어.

동호네 학교 학생은 모두 몇 명일까요?

식 _____   답 _____ 명

하선이네 학교 학생은 모두 몇 명일까요?

식 _____   답 _____ 명

5 어느 문구점에 색연필 **327**자루, 연필 **556**자루가 있었습니다. 오늘 색연필을 **159**자루, 연필을 **288**자루 팔았습니다. 문구점에 남은 연필과 색연필은 각각 몇 자루일까요?

색연필: _____ 자루, 연필: _____ 자루

□가 있는 덧셈과 뺄셈

개념
원리

□의 값을 구해 봅시다.

452	□
691	

762	
□	153

$452 + □ = 691$

□ = $\boxed{691}$ − $\boxed{452}$

= $\boxed{239}$

$762 − □ = 153$

□ = $\boxed{762}$ − $\boxed{153}$

= $\boxed{609}$

$□ + 452 = 611$

□ = ☐ − ☐

= ☐

$□ − 372 = 562$

□ = ☐ + ☐

= ☐

$387 + □ = 916$

□ = ☐ − ☐

= ☐

$866 − □ = 428$

□ = ☐ − ☐

= ☐

$□ + 187 = 934$

□ = ☐ − ☐

= ☐

$□ − 674 = 279$

□ = ☐ + ☐

= ☐

```
    4 5 6
+ [       ]
─────────
    8 1 1
```

```
    9 2 6
─ [       ]
─────────
    4 5 6
```

```
    1 7 8
+ [       ]
─────────
    5 3 4
```

```
  [       ]
─   3 4 6
─────────
    5 6 7
```

```
  [       ]
─   2 6 9
─────────
    9 3 4
```

```
  [       ]
─   1 7 8
─────────
    4 5 1
```

```
    4 5 6
+ [       ]
─────────
  1 2 3 4
```

```
  1 3 4 5
─ [       ]
─────────
    7 8 4
```

```
    8 5 4
+ [       ]
─────────
  1 3 9 0
```

$156 + \boxed{} = 529$

$845 - \boxed{} = 719$

$1048 - \boxed{} = 452$

$672 + \boxed{} = 1145$

$443 + \boxed{} = 772$

$1543 - \boxed{} = 786$

1 아래 두 수의 합이 위의 수가 됩니다. 빈칸에 알맞은 수를 쓰세요.

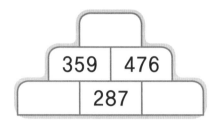

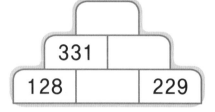

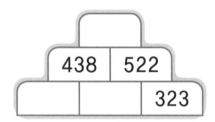

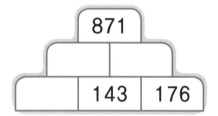

2 같은 모양은 같은 수를 나타냅니다. ☐ 안에 알맞은 수를 쓰세요.

386 + ■ = 513

316 − ■ = ☐

976 − ◑ = 618

◑ + 454 = ☐

▲ − 189 = 365

257 + ▲ = ☐

⬠ + 471 = 830

⬠ − 149 = ☐

3 세 자리 수가 적힌 종이 2장 중에서 한 장이 찢어져서 백의 자리 숫자만 보입니다. 두 수의 합이 603일 때 두 수의 차를 구하세요.

249   3

차: [   ]

4 815는 어떤 수에 259를 더한 수와 같다고 합니다. 어떤 수를 □로 나타내어 식을 세우고 어떤 수를 구하세요.

식 _____   어떤 수: _____

5 민수가 저금통에 450원을 넣었더니 저금통 안의 돈이 모두 910원이 되었습니다. 처음 저금통에 있던 돈은 얼마인지 □를 사용한 식을 세우고 답을 구하세요.

식 _____   답 _____ 원

6 어떤 수에 295를 더해야 할 것을 잘못하여 259를 더하였더니 627이 되었습니다. 바르게 계산하면 얼마일까요?

어떤 수 구하기: 식 _____   □= _____

바르게 계산하기: 식 _____   답 _____

숫자 카드 덧셈과 뺄셈

숫자 카드를 한 번씩 모두 사용하여 덧셈식과 뺄셈식을 완성하여 봅시다.

카드: 2 5 7 8 9

$$\begin{array}{r} 5\ 3\ 8 \\ +\ 4\ 2\ 9 \\ \hline 9\ 6\ 7 \end{array}$$

$$\begin{array}{r} 8\ 9\ 5 \\ -\ 2\ 1\ 9 \\ \hline 6\ 7\ 6 \end{array}$$

카드: 3 5 7 4 6

$$\begin{array}{r} 4\ 2\ \square \\ +\ \square\ \square\ 8 \\ \hline \square\ 8\ \square \end{array}$$

$$\begin{array}{r} \square\ 9\ \square \\ -\ \square\ 2\ \square \\ \hline 2\ \square\ 9 \end{array}$$

카드: 4 8 9 1 6

$$\begin{array}{r} \square\ 8\ \square \\ +\ 4\ 7\ 3 \\ \hline \square\ \square\ \square \end{array}$$

$$\begin{array}{r} \square\ \square\ 0 \\ -\ \square\ 2\ 6 \\ \hline \square\ 3\ \square \end{array}$$

카드: 1 3 8 5 2

$$\begin{array}{r} \square\ 3\ \square \\ +\ 3\ \square\ 9 \\ \hline \square\ 7\ \square \end{array}$$

$$\begin{array}{r} \square\ 8\ 4 \\ -\ \square\ 2\ \square \\ \hline \square\ \square\ 6 \end{array}$$

2	6
3	7
5	9

$$\begin{array}{r} \square\square\square \\ +\ \square\square\square \\ \hline 968 \end{array} \qquad \begin{array}{r} \square\square\square \\ -\ \square\square\square \\ \hline 741 \end{array} \qquad \begin{array}{r} \square\square\square \\ +\ \square\square\square \\ \hline 1715 \end{array}$$

3	1
8	7
5	2

$$\begin{array}{r} \square\square\square \\ -\ \square\square\square \\ \hline 247 \end{array} \qquad \begin{array}{r} \square\square\square \\ +\ \square\square\square \\ \hline 458 \end{array} \qquad \begin{array}{r} \square\square\square \\ -\ \square\square\square \\ \hline 72 \end{array}$$

4	2
9	5
6	1

$$\begin{array}{r} \square\square\square \\ +\ \square\square\square \\ \hline 648 \end{array} \qquad \begin{array}{r} \square\square\square \\ -\ \square\square\square \\ \hline 161 \end{array} \qquad \begin{array}{r} \square\square\square \\ +\ \square\square\square \\ \hline 720 \end{array}$$

3	7
8	6
9	4

$$\begin{array}{r} \square\square\square \\ -\ \square\square\square \\ \hline 148 \end{array} \qquad \begin{array}{r} \square\square\square \\ +\ \square\square\square \\ \hline 865 \end{array} \qquad \begin{array}{r} \square\square\square \\ -\ \square\square\square \\ \hline 159 \end{array}$$

1 다음과 같이 숫자 카드를 한 번씩 모두 사용하여 합이 가장 큰 세 자리 수끼리의 덧셈식과 차가 가장 큰 세 자리 수끼리의 뺄셈식을 만들고 계산하세요.

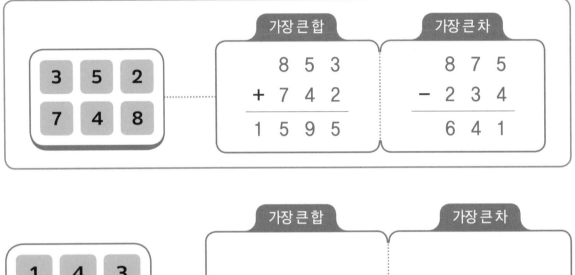

2 계산기의 색칠된 버튼을 한 번씩 눌러서 세 자리 수끼리 의 덧셈식을 계산합니다. 가장 큰 합이 나오도록 버튼을 누른 순서대로 쓰고 계산하세요.

3 숫자 카드를 한 번씩 사용하여 만들 수 있는 가장 큰 세 자리 수와 가장 작은 세 자리 수의 합과 차를
   구하려고 합니다. 식을 쓰고 계산하세요.

합: _____

차: _____

합: _____

차: _____

4 숫자 카드를 도희는 7 , 3 , 5 를, 정호는 4 , 8 , 6 을 가지고 있습니다. 각자 숫자 카드
   를 한 번씩 사용하여 세 자리 수를 만들 때, 그 두 수의 차가 가장 큰 경우는 얼마일까요?

식 _____   답 _____

5 숫자 카드를 한 번씩 사용하여 만들 수 있는 세 자리 수 중에서 가장 큰 수와 두 번째로 큰 수와의 차는
   얼마일까요?

식 _____   답 _____

개념
원리

세 수의 계산

덧셈, 뺄셈이 함께 있는 세 수의 계산 방법을 알아봅시다.

$349 + 267 - 149 =$ 467

616

```
    3 4 9              6 1 6
  + 2 6 7            - 1 4 9
  ───────            ───────
    6 1 6              4 6 7
```

+, − 가 함께 있는 세 수의 계산은 앞에서부터 순서대로 계산합니다.

$516 + 349 - 678 =$ ☐

```
    5 1 6              ☐
  + 3 4 9            - 6 7 8
  ───────            ───────
    ☐                  ☐
```

$349 - 267 + 149 =$ ☐

```
    3 4 9              ☐
  - 2 6 7            + 1 4 9
  ───────            ───────
    ☐                  ☐
```

$922 - 345 - 286 =$ ☐

```
    9 2 2              ☐
  - 3 4 5            - 2 8 6
  ───────            ───────
    ☐                  ☐
```

$345 + 199 + 227 =$ ☐

```
    3 4 5              ☐
  + 1 9 9            + 2 2 7
  ───────            ───────
    ☐                  ☐
```

38 응용연산 B3

$350+201+400$

$502+120+343$

$407+374-370$

$561+249-259$

$720-290+141$

$633-416+421$

$876-167+205$

$723-261-133$

$149+356+244$

$356+178+209$

$456+297-303$

$672-356+256$

$744-212-189$

$985-245-340$

$883+137-234$

$506+418-765$

1 하나의 ◯ 안에 들어있는 수의 합이 ☐ 안의 수와 같을 때 ☐ 안에 알맞은 수를 쓰세요.

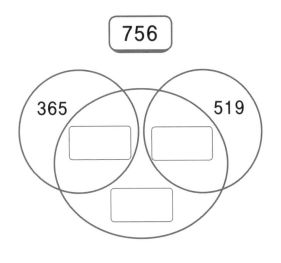

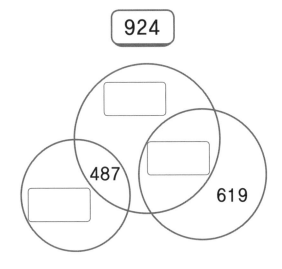

2 빈칸에 알맞은 수를 쓰세요.

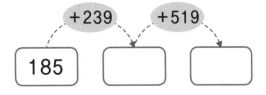

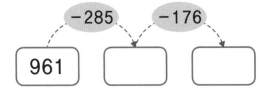

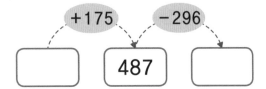

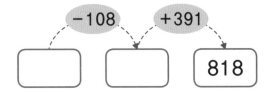

3 수직선을 보고 ☐ 안에 알맞은 수를 쓰세요.

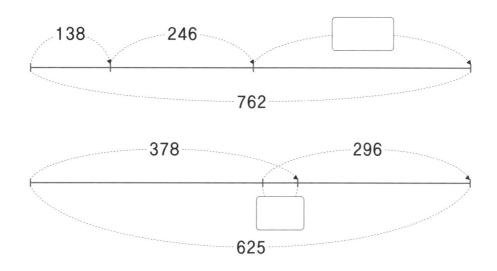

4 준영이와 소이가 줄넘기를 했습니다. 준영이는 줄넘기를 **271**번 하였고, 소이는 준영이보다 **109**번 적게 하였습니다. 준영이와 소이는 줄넘기를 모두 몇 번 하였을까요?

식 _____   답 _____ 번

5 기차에 **475**명이 타고 있었습니다. 어느 역에서 **196**명이 내리고 **145**명이 탔습니다. 기차에 타고 있는 사람은 모두 몇 명일까요?

식 _____   답 _____ 명

1 가로 방향으로 덧셈, 세로 방향으로 뺄셈을 하여 빈칸에 알맞은 수를 쓰세요.

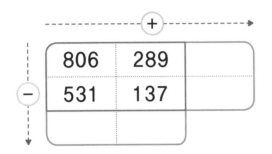

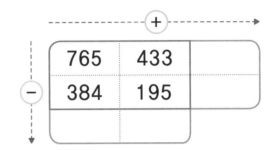

2 주어진 수를 사용하여 덧셈식 2개와 뺄셈식 2개를 만드세요.

☐ + ☐ = ☐   656   ☐ − ☐ = ☐

☐ + ☐ = ☐   389 267   ☐ − ☐ = ☐

3 아래 두 수의 합이 위의 수가 됩니다. 빈칸에 알맞은 수를 쓰세요.

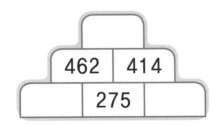

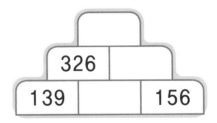

4 758은 어떤 수에 269를 더한 수와 같다고 합니다. 어떤 수를 □로 나타내어 식을 세우고 어떤 수를 구하세요.

식 _____   어떤 수: _____

5 숫자 카드를 한 번씩 모두 사용하여 합이 가장 큰 세 자리 수끼리의 덧셈식과 차가 가장 큰 세 자리 수끼리의 뺄셈식을 만들고 계산하세요.

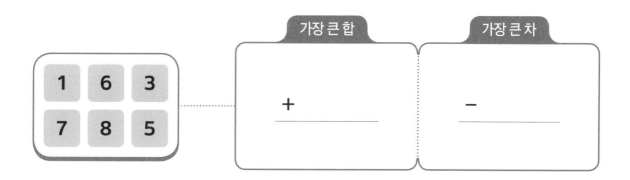

가장 큰 합

\+

가장 큰 차

\-

6 숫자 카드를 한 번씩 사용하여 만들 수 있는 가장 큰 세 자리 수와 가장 작은 세 자리 수의 합과 차를 구하려고 합니다. 식을 쓰고 계산하세요.

2 4 7

3 5 0 7

합: _____

차: _____

합: _____

차: _____

7 빈칸에 알맞은 수를 쓰세요.

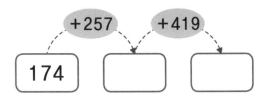

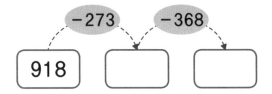

8 수직선을 보고 ☐ 안에 알맞은 수를 쓰세요.

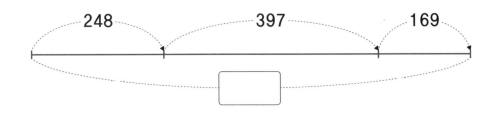

9 지하철에 590명이 타고 있었습니다. 어느 역에서 376명이 내리고 287명이 탔습니다. 지하철에 타고 있는 사람은 모두 몇 명일까요?

식 _____   답 _____ 명

3주차

네 자리 수의
덧셈·뺄셈

네 자리 수의 덧셈·뺄셈 익히기

네 자리 수의 덧셈 (1)

네 자리 수의 덧셈을 알아봅시다.

```
    4  5  6  9
 +     7  3  4
 ─────────────
 [5][3][0][3]
```

```
    2  7  3  5
 +  1  8  6  7
 ─────────────
 [4][6][0][2]
```

같은 자리 숫자끼리 계산합니다. 같은 자리 숫자끼리의 합이 10보다 크거나 같으면 받아올려 계산합니다.

```
    5  1  7  2
 +     3  8  4
 ─────────────
 [ ][ ][ ][ ]
```

```
    7  3  8  5
 +     6  3  9
 ─────────────
 [ ][ ][ ][ ]
```

```
    6  4  1  1
 +     7  9  8
 ─────────────
 [ ][ ][ ][ ]
```

```
    4  5  3  7
 +  1  6  7  2
 ─────────────
 [ ][ ][ ][ ]
```

```
    2  3  8  6
 +  5  5  3  4
 ─────────────
 [ ][ ][ ][ ]
```

```
    3  7  4  8
 +  1  6  7  8
 ─────────────
 [ ][ ][ ][ ]
```

```
    8  5  6  3
 +  7  2  1  8
 ─────────────
 [ ][ ][ ][ ][ ]
```

```
    4  5  7  5
 +  6  7  4  2
 ─────────────
 [ ][ ][ ][ ][ ]
```

```
    1 8 0 0              5 0 4 0              7 3 6 2
  +   3 0 0            +   7 6 5            +   6 5 9
  ─────────            ─────────            ─────────


    1 6 5 6              1 9 8 8              3 7 4 5
  + 2 7 6 5            + 5 9 3 5            + 1 4 0 2
  ─────────            ─────────            ─────────


    2 4 7 1              5 9 9 2              7 0 6 3
  + 3 5 4 6            + 2 0 0 8            + 1 9 5 7
  ─────────            ─────────            ─────────


    3 1 8 7              3 2 6 5              6 8 1 7
  + 2 9 2 5            + 5 7 9 4            + 1 1 9 9
  ─────────            ─────────            ─────────


    4 7 2 2              6 6 7 3              5 7 8 5
  + 7 3 4 4            + 9 4 7 7            + 8 5 2 5
  ─────────            ─────────            ─────────
```

1 □ 안에 알맞은 수를 쓰세요.

$$
\begin{array}{r}
3\ 7\ \boxed{}\ 2 \\
+\ \ \ \boxed{}\ 5\ \boxed{} \\
\hline
\boxed{}\ 1\ 3\ 9
\end{array}
$$

$$
\begin{array}{r}
\boxed{}\ 4\ \boxed{}\ \boxed{} \\
+\ 2\ \boxed{}\ 9\ 3 \\
\hline
9\ 3\ 2\ 0
\end{array}
$$

$$
\begin{array}{r}
2\ 4\ \boxed{}\ \boxed{} \\
+\ 3\ \boxed{}\ 6\ 7 \\
\hline
\boxed{}\ 1\ 5\ 2
\end{array}
$$

$$
\begin{array}{r}
\boxed{}\ 7\ \boxed{}\ 1 \\
+\ 3\ \boxed{}\ 8\ 4 \\
\hline
\boxed{}\ 0\ 5\ 2\ \boxed{}
\end{array}
$$

2 주어진 수 중 두 수를 사용하여 덧셈식을 완성하세요.

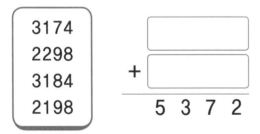

3174
2298
3184
2198

$$
\begin{array}{r}
\boxed{} \\
+\ \boxed{} \\
\hline
5\ 3\ 7\ 2
\end{array}
$$

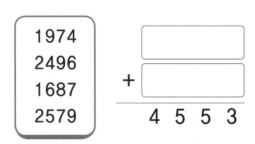

1974
2496
1687
2579

$$
\begin{array}{r}
\boxed{} \\
+\ \boxed{} \\
\hline
4\ 5\ 5\ 3
\end{array}
$$

1367
4869
4529
1597

$$
\begin{array}{r}
\boxed{} \\
+\ \boxed{} \\
\hline
5\ 8\ 9\ 6
\end{array}
$$

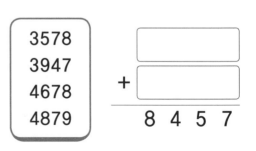

3578
3947
4678
4879

$$
\begin{array}{r}
\boxed{} \\
+\ \boxed{} \\
\hline
8\ 4\ 5\ 7
\end{array}
$$

3 ☐ 안에 알맞은 수를 쓰세요.

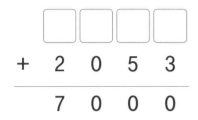

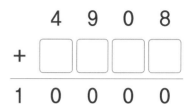

4 도서관에 동화책이 **2687**권, 위인전이 **1822**권 있습니다. 도서관에 있는 동화책과 위인전은 모두 몇 권일까요?

답 _____ 권

5 준호는 동생과 함께 한 달 동안 저금을 하였습니다. 준호는 **5830**원, 동생은 **3960**원을 저금했다면 두 사람이 저금한 돈은 모두 얼마일까요?

답 _____ 원

네 자리 수의 덧셈 (2)

가로로 덧셈을 해 봅시다.

$$3169 + 4785 = \boxed{7}\,\boxed{9}\,\boxed{5}\,\boxed{4}$$

④ ③ ② ①

9+5
6+8+1
1+7+1
3+4

일의 자리부터 차례로 더합니다. 같은 자리 숫자끼리의 합이 10보다 크거나 같으면 받아올려 계산합니다.

2561＋189

= ☐☐☐☐

5749＋372

= ☐☐☐☐

6824＋1643

= ☐☐☐☐

3467＋2709

= ☐☐☐☐

2656＋3469

= ☐☐☐☐

5712＋4124

= ☐☐☐☐

8345＋2906

= ☐☐☐☐☐

3492＋7894

= ☐☐☐☐☐

3874+945

4769+486

6782+1201

2097+2340

5729+2784

2483+3176

4846+5555

3445+2937

7766+3984

6475+1957

5799+2358

3756+4499

4671+8473

2985+9876

6086+2516

7440+1984

1 여러 가지 방법으로 계산한 것입니다. ☐ 안에 알맞은 수를 쓰세요.

$2680+1295$

$=2680+1300-\boxed{}$

$=\boxed{}-\boxed{}=\boxed{}$

1295를 더하는 대신 1300을 더하고 5를 뺍니다.

$2680+1295$

$=(2600+1200)+(\boxed{}+\boxed{})$

$=\boxed{}+\boxed{}=\boxed{}$

2600과 1200의 합에 80과 95의 합을 더합니다.

$3984+1520$

$=4000+1520-\boxed{}$

$=\boxed{}-\boxed{}=\boxed{}$

3984를 4000−16으로 생각하여 4000에 1520을 더한 후 16을 뺍니다.

$3984+1520$

$=(3900+1500)+(\boxed{}+\boxed{})$

$=\boxed{}+\boxed{}=\boxed{}$

3900과 1500의 합에 84와 20의 합을 더합니다.

2 올바른 식이 되도록 숫자 카드 2장의 순서를 바꾸어 식을 쓰세요.

| 1 | 3 | 4 | 9 | + | 2 | 6 | 5 | 7 | $=3826$

➡ _____

3 현주가 식료품 가게에서 산 물건 2개의 가격이 9300원입니다. 현주가 산 물건은 무엇일까요?

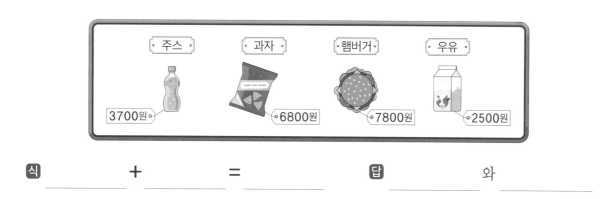

식 _____ + _____ = _____   답 _____ 와 _____

4 승철이네 과수원에서는 사과를 어제는 955개 땄고, 오늘은 1476개 땄습니다. 과수원에서 이틀 동안 딴 사과는 모두 몇 개일까요?

식 _____   답 _____ 개

5 다음은 여러 마을의 학생 수를 나타낸 표입니다. 물음에 맞는 식과 답을 쓰세요.

마을	아름 마을	초당 마을	푸른 마을	장미 마을
학생 수(명)	2378	3012	2987	1985

아름 마을과 푸른 마을의 학생은 모두 몇 명일까요?

식 _____   답 _____ 명

학생 수가 가장 많은 마을과 가장 적은 마을의 학생은 모두 몇 명일까요?

식 _____   답 _____ 명

네 자리 수의 뺄셈 (1)

개념
원리

네 자리 수의 뺄셈을 알아봅시다.

```
    5  2  4  2
  -    7  3  7
  ┌──┬──┬──┬──┐
  │ 4│ 5│ 0│ 5│
  └──┴──┴──┴──┘
```

```
    9  3  7  2
  -  6  7  1  3
  ┌──┬──┬──┬──┐
  │ 2│ 6│ 5│ 9│
  └──┴──┴──┴──┘
```

같은 자리의 숫자끼리 계산합니다. 같은 자리 숫자끼리 뺄 수 없으면 받아내림하여 계산합니다.

```
    5  5  4  5
  -    3  7  2
  ┌──┬──┬──┬──┐
  │  │  │  │  │
  └──┴──┴──┴──┘
```

```
    1  5  1  1
  -    7  6  8
  ┌──┬──┬──┬──┐
  │  │  │  │  │
  └──┴──┴──┴──┘
```

```
    7  3  2  6
  -    8  9  7
  ┌──┬──┬──┬──┐
  │  │  │  │  │
  └──┴──┴──┴──┘
```

```
    6  9  0  4
  -  4  4  7  3
  ┌──┬──┬──┬──┐
  │  │  │  │  │
  └──┴──┴──┴──┘
```

```
    7  2  8  6
  -  2  5  3  7
  ┌──┬──┬──┬──┐
  │  │  │  │  │
  └──┴──┴──┴──┘
```

```
    5  7  2  8
  -  3  3  7  8
  ┌──┬──┬──┬──┐
  │  │  │  │  │
  └──┴──┴──┴──┘
```

```
    4  2  3  4
  -  1  6  7  9
  ┌──┬──┬──┬──┐
  │  │  │  │  │
  └──┴──┴──┴──┘
```

```
    9  0  1  4
  -  5  3  3  5
  ┌──┬──┬──┬──┐
  │  │  │  │  │
  └──┴──┴──┴──┘
```

```
    7 2 4 1              3 6 7 4              6 0 3 0
  -   3 9 8            -   8 9 7            -   5 7 2
```

```
    3 7 4 5              5 9 0 1              6 1 9 5
  - 1 2 2 6            - 3 7 9 0            - 1 8 2 3
```

```
    5 1 8 6              8 7 6 9              7 5 2 0
  - 2 9 3 7            - 5 8 9 3            - 1 1 9 9
```

```
    6 5 2 4              7 7 1 0              8 1 3 6
  - 2 9 2 5            - 1 7 9 3            - 1 2 4 8
```

```
    4 5 7 3              9 1 0 2              8 0 3 0
  - 2 5 4 4            - 3 7 7 7            - 5 9 3 9
```

1 □ 안에 알맞은 수를 쓰세요.

```
    1  5  □  □
  -     □  8  8
  ────────────
     □  2  5  5
```

```
    3  □  4  □
  -     7  □  4
  ────────────
     □  4  8  6
```

```
    8  6  □  □
  -  3  □  7  8
  ────────────
     □  1  4  6
```

```
    □  2  5  □
  -  6  □  7  8
  ────────────
     2  2  □  5
```

2 주어진 수 중 두 수를 사용하여 뺄셈식을 완성하세요.

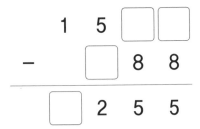

| 5486 |
| 1765 |
| 3976 |
| 2976 |

```
   □ □ □ □
 -  □ □ □ □
 ──────────
   1 5 1 0
```

| 1026 |
| 2886 |
| 3598 |
| 4056 |

```
   □ □ □ □
 -  □ □ □ □
 ──────────
   1 1 7 0
```

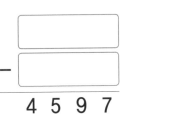

| 8372 |
| 7462 |
| 2865 |
| 3752 |

```
   □ □ □ □
 -  □ □ □ □
 ──────────
   4 5 9 7
```

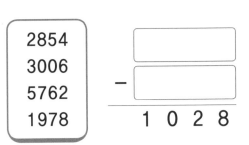

| 2854 |
| 3006 |
| 5762 |
| 1978 |

```
   □ □ □ □
 -  □ □ □ □
 ──────────
   1 0 2 8
```

3 □ 안에 알맞은 수를 쓰세요.

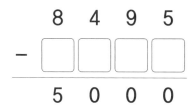

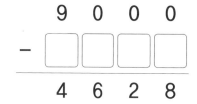

4 백두산과 한라산의 높이의 차를 구하세요.

백두산: 2744 m

한라산: 1950 m

답 _____ m

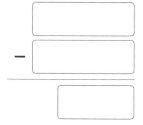

5 민주가 사는 아파트 단지는 5123가구이고 동하가 사는 아파트 단지는 2329가구입니다. 민주가 사는 아파트 단지는 동하가 사는 아파트 단지보다 몇 가구가 더 많을까요?

답 _____ 가구

네 자리 수의 뺄셈 (2)

가로로 뺄셈을 해 봅시다.

④ ③ ② ①

$7236 - 2718 =$ 4 5 1 8

16 − 8

3 − 1 − 1

12 − 7

7 − 2 − 1

일의 자리의 숫자부터 차례로 뺄셈을 합니다. 같은 자리 숫자끼리 뺄 수 없으면 받아내림하여 계산합니다.

2655 − 837

= ☐☐☐☐

5749 − 772

= ☐☐☐☐

6824 − 1643

= ☐☐☐☐

3467 − 2709

= ☐☐☐

5894 − 1370

= ☐☐☐☐

6408 − 2592

= ☐☐☐☐

8345 − 2906

= ☐☐☐☐

7894 − 3492

= ☐☐☐☐

8374 − 2598   7469 − 2486

6782 − 1208   4459 − 2340

7590 − 2489   6713 − 2483

8464 − 5656   5443 − 2938

6677 − 4893   8475 − 2312

9975 − 2358   8555 − 4756

8473 − 4671   9876 − 4985

5436 − 1984   6624 − 5209

1 여러 가지 방법으로 계산한 것입니다. ☐ 안에 알맞은 수를 쓰세요.

5003 − 895

= 5003 − ☐ + ☐

= ☐ + ☐ = ☐

895를 빼는 대신 900을 빼고 5를 더합니다.

2172 − 867

= (2100 − 800) + (☐ − ☐)

= ☐ + ☐ = ☐

2100과 800의 차와 72와 67의 차를 더합니다.

3428 − 1989

= 3428 − ☐ + 11

= ☐ + ☐ = ☐

1989를 빼는 대신 2000을 빼고 11을 더합니다.

6515 − 2988

= 3515 + (☐ − ☐)

= ☐ + ☐ = ☐

6515를 3515와 3000으로 나눈 후 3515에 3000과 2988의 차를 더합니다.

2 주어진 수 중 두 수를 사용하여 차가 가장 작게 나오도록 식을 만들어 보세요.

4812 3052 6110 7800

☐ − ☐ = ☐

7921 9042 4020 5912

☐ − ☐ = ☐

3   그림을 보고 윤하네 집에서 학교까지의 거리는 몇 m인지 구하세요.

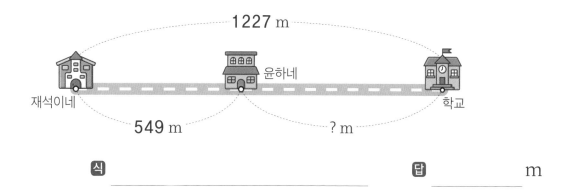

식 _____   답 _____ m

4   수직선을 보고 ☐ 안에 알맞은 수를 쓰세요.

5   공연 입장권이 3500장 있었습니다. 입장권이 1859장 팔렸다면 남은 입장권은 몇 장일까요?

식 _____   답 _____ 장

1 주어진 수 중 두 수를 사용하여 덧셈식을 완성하세요.

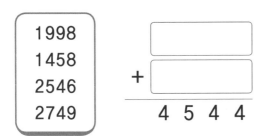

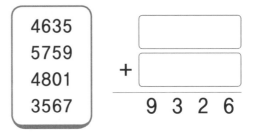

2 ☐ 안에 알맞은 수를 쓰세요.

```
      5 3 8 4
  +   ☐ ☐ ☐
  ─────────
      6 0 0 0
```

```
    ☐ ☐ ☐ ☐
  + 6 4 0 8
  ─────────
    9 0 0 0
```

3 올바른 식이 되도록 숫자 카드 2장의 순서를 바꾸어 식을 쓰세요.

```
4  5  7  1  +  3  2  6  9  = 7741
```

➡ _____

4 미주가 장난감 가게에서 산 물건 **2**개의 가격이 **8200**원입니다. 미주가 산 물건은 무엇일까요?

식 _____ + _____ = _____   답 _____ 과 _____

5 주어진 수 중 두 수를 사용하여 뺄셈식을 완성하세요.

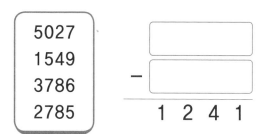

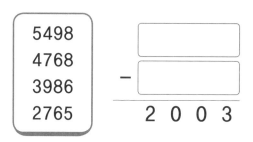

6 ☐ 안에 알맞은 수를 쓰세요.

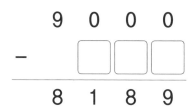

7 주어진 수 중 두 수를 사용하여 차가 가장 작게 나오도록 식을 만들어 보세요.

2859 3934 4568 5738

☐ - ☐ = ☐

8 수직선을 보고 ☐ 안에 알맞은 수를 쓰세요.

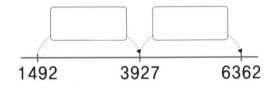

1492   3927   6362

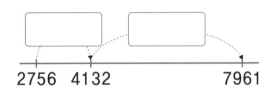

2756 4132   7961

9 상훈이는 용돈을 9800원 받았습니다. 장난감 가게에서 5730원짜리 장난감을 샀습니다. 남은 돈은 얼마일 까요?

식 _____   답 _____ 원

4주차

네 자리 수
덧셈·뺄셈 활용

덧셈·뺄셈으로 여러 가지 문제 해결하기

두 수의 합과 차

두 수의 합과 차를 구해 봅시다.

| 6225 | 2707 |

합 6225 + 2707 = 8932

차 6225 − 2707 = 3518

| 3162 | 1578 |

합 ☐ + ☐ = ☐

차 ☐ − ☐ = ☐

| 6408 | 3515 |

합 ☐ + ☐ = ☐

차 ☐ − ☐ = ☐

| 5672 | 2424 |

합 ☐ + ☐ = ☐

차 ☐ − ☐ = ☐

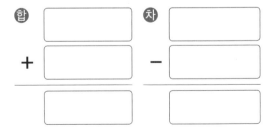

| 7152 | 1196 |

합 ☐
  + ☐
  ☐

차 ☐
  − ☐
  ☐

| 4762 | 1223 |

합 ☐
  + ☐
  ☐

차 ☐
  − ☐
  ☐

```
    4 2 0 7          8 0 9 4          7 8 7 6
+     7 9 7      -     9 4 4      +     6 2 9


    9 3 7 2          1 3 6 2          5 6 9 0
-   4 1 8 5      +  6 6 7 7      -  2 6 8 6


    3 1 5 7          8 2 2 7          4 5 7 9
+  5 9 5 9      -  3 7 4 4      +  2 7 5 4
```

2356+678   2572-982

5612-1299   3429+3431

5647+3487   9034-2569

1 빈칸에 알맞은 수를 쓰세요.

| 3587 | +687 | | −1893 | | +4065 | |

| 4723 | −1393 | | +2568 | | −2660 | |

| 5010 | +4621 | | −4799 | | +3462 | |

2 ☐ 안에 알맞은 수를 쓰세요.

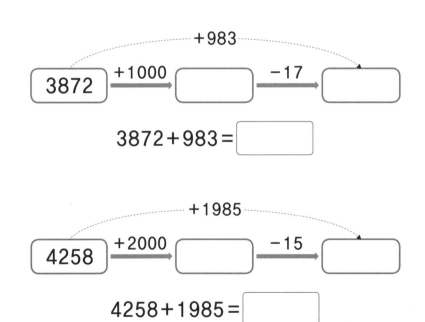

3872 + 983 = ☐

4258 + 1985 = ☐

3 선으로 이어진 두 수를 연산 기호에 맞게 계산하여 ☐ 안에 알맞은 수를 쓰세요.

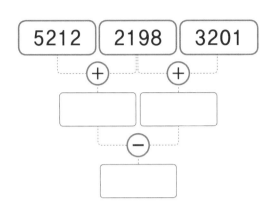

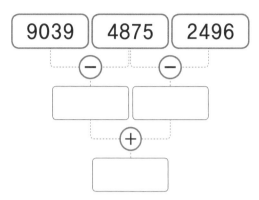

4 다음을 보고 물음에 맞는 식과 답을 쓰세요.

> 소연: 내가 저금한 돈은 **7810**원이야.
> 동호: 내가 저금한 돈은 소연이가 저금한 돈보다 **1790**원이 더 많아.
> 하선: 내가 저금한 돈은 동호가 저금한 돈보다 **3980**원이 더 적어.

동호가 저금한 돈은 얼마일까요?

식 _____   답 _____ 원

하선이가 저금한 돈은 얼마일까요?

식 _____   답 _____ 원

5 오른쪽은 축구장에 입장한 사람 수를 나타낸 표입니다. 남자는 여자보다 몇 명 더 입장했을까요?

_____ 명

사람 수(명)	어른	아이
남자	3876	1208
여자	1398	480

□가 있는 덧셈과 뺄셈

□의 값을 구해 봅시다.

1640	□
2510	

3420	
□	1050

$$1640 + □ = 2510$$

$$□ = \boxed{2510} - \boxed{1640}$$

$$= \boxed{870}$$

$$3420 - □ = 1050$$

$$□ = \boxed{3420} - \boxed{1050}$$

$$= \boxed{2370}$$

$$□ + 780 = 3250$$

$$□ = \boxed{} - \boxed{}$$

$$= \boxed{}$$

$$□ - 920 = 2370$$

$$□ = \boxed{} + \boxed{}$$

$$= \boxed{}$$

$$2042 + □ = 5420$$

$$□ = \boxed{} - \boxed{}$$

$$= \boxed{}$$

$$4201 - □ = 1985$$

$$□ = \boxed{} - \boxed{}$$

$$= \boxed{}$$

$$□ + 3765 = 5764$$

$$□ = \boxed{} - \boxed{}$$

$$= \boxed{}$$

$$□ - 1099 = 5202$$

$$□ = \boxed{} + \boxed{}$$

$$= \boxed{}$$

```
    2 4 5 0              3 5 6 3              3 5 1 8
  + ┌─────────┐        - ┌─────────┐        + ┌─────────┐
    └─────────┘          └─────────┘          └─────────┘
  ─────────────        ─────────────        ─────────────
    4 1 4 0                  6 0 4            4 5 2 7
```

```
  ┌─────────┐          ┌─────────┐          ┌─────────┐
  └─────────┘          └─────────┘          └─────────┘
  - 1 4 5 3            + 3 4 0 1            - 2 9 1 0
  ─────────────        ─────────────        ─────────────
    4 5 2 7              5 9 8 1              4 7 8 9
```

```
    2 1 0 8              9 7 5 6              3 7 8 9
  + ┌─────────┐        - ┌─────────┐        + ┌─────────┐
    └─────────┘          └─────────┘          └─────────┘
  ─────────────        ─────────────        ─────────────
    7 1 9 4              2 4 5 1              6 1 1 2
```

$1560 + \boxed{} = 3452$　　　　　$7621 - \boxed{} = 5830$

$9048 - \boxed{} = 3452$　　　　　$4443 + \boxed{} = 7719$

$3673 + \boxed{} = 7135$　　　　　$6742 - \boxed{} = 2946$

1 아래 두 수의 합이 위의 수가 됩니다. 빈칸에 알맞은 수를 쓰세요.

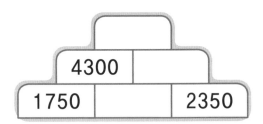

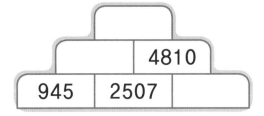

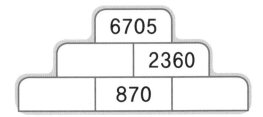

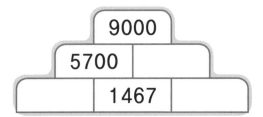

2 같은 모양은 같은 수를 나타냅니다. ☐ 안에 알맞은 수를 쓰세요.

$2670 + ▮ = 3250$

$6140 - ▮ = $ ☐

$4200 - ◑ = 2160$

$◑ + 1908 = $ ☐

$▲ - 957 = 5632$

$1478 + ▲ = $ ☐

$⬠ + 2000 = 5346$

$⬠ - 1678 = $ ☐

3　네 자리 수가 적힌 종이 2장 중에서 한 장이 찢어져서 천의 자리 숫자만 보입니다. 두 수의 합이
5013일 때 두 수의 차를 구하세요.

　　　　　　1575　　　3　　　　　　차: ☐

4　☐ 안에 들어갈 수 있는 수 중에서 가장 작은 수를 구하세요.

$$4852+3349<8000+☐$$

　　　　　　☐

5　민지가 저금통에 5700원을 넣었더니 저금통 안의 돈이 모두 9250원이 되었습니다. 처음 저금통
에 있던 돈은 얼마인지 ☐를 사용한 식을 세우고 답을 구하세요.

　식 _____　　　답 _____ 원

6　어떤 수에 1395를 더해야 할 것을 잘못하여 뺐더니 5720이 되었습니다. 바르게 계산하면 얼마일
까요?

　어떤 수 구하기 : 식 _____　　　☐ = _____

　바르게 계산하기 : 식 _____　　　답 _____

숫자 카드 덧셈과 뺄셈

개념
원리

숫자 카드를 한 번씩 사용하여 만든 가장 큰 네 자리 수와 가장 작은 네 자리 수의 합과 차를 구해 봅시다.

| 3 | 5 |
| 6 | 2 |

가장 큰 수: 6532

가장 작은 수: 2356

합

$$\begin{array}{r} 6\ 5\ 3\ 2 \\ +\ 2\ 3\ 5\ 6 \\ \hline 8\ 8\ 8\ 8 \end{array}$$

차

$$\begin{array}{r} 6\ 5\ 3\ 2 \\ -\ 2\ 3\ 5\ 6 \\ \hline 4\ 1\ 7\ 6 \end{array}$$

| 5 | 1 |
| 8 | 6 |

가장 큰 수:

가장 작은 수:

합

$+$

차

$-$

| 1 | 7 |
| 3 | 5 |

가장 큰 수:

가장 작은 수:

합

$+$

차

$-$

| 2 | 3 |
| 4 | 8 |

가장 큰 수:

가장 작은 수:

합

$+$

차

$-$

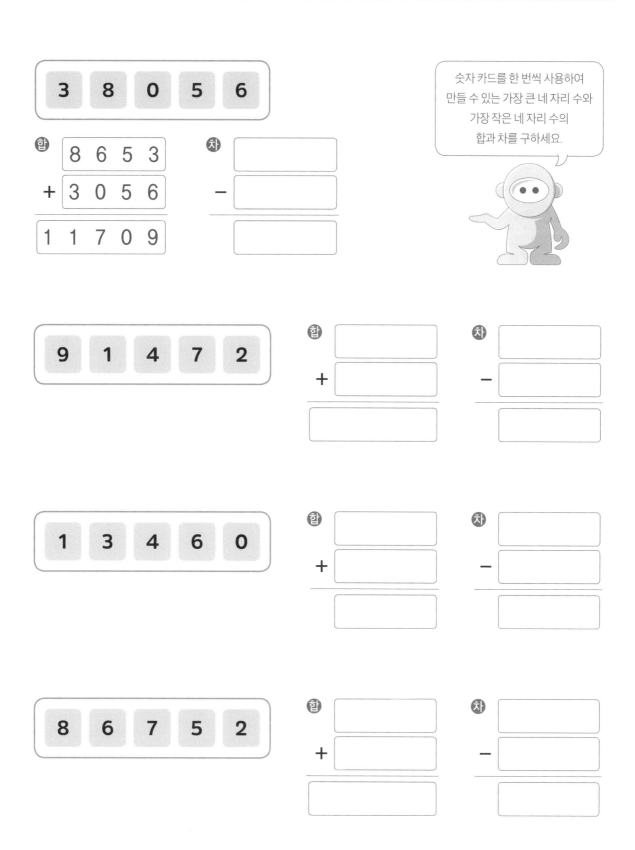

숫자 카드를 한 번씩 사용하여 만들 수 있는 가장 큰 네 자리 수와 가장 작은 네 자리 수의 합과 차를 구하세요.

3 8 0 5 6

합
```
  8 6 5 3
+ 3 0 5 6
─────────
1 1 7 0 9
```

차

9 1 4 7 2

합   +

차   −

1 3 4 6 0

합   +

차   −

8 6 7 5 2

합   +

차   −

1 숫자 카드를 한 번씩 모두 사용하여 합이 가장 큰 네 자리 수끼리의 덧셈식과 차가 가장 큰 네 자리 수
   끼리의 뺄셈식을 만들고 계산하세요.

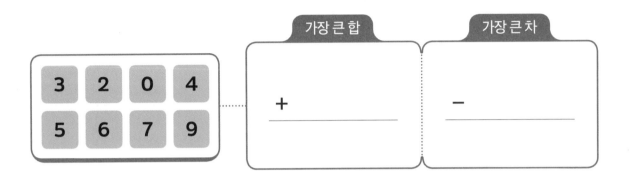

2 주어진 숫자 카드 중 **4**장을 사용하여 네 자리 수를 만들려고 합니다. 물음에 답하세요.

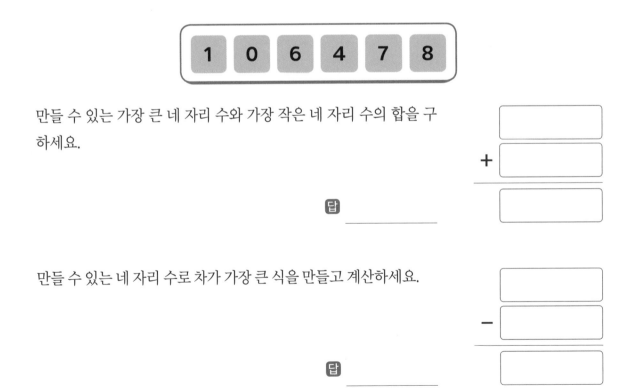

만들 수 있는 가장 큰 네 자리 수와 가장 작은 네 자리 수의 합을 구
하세요.

답 _____

만들 수 있는 네 자리 수로 차가 가장 큰 식을 만들고 계산하세요.

답 _____

3 승호와 정수는 자신의 숫자 카드를 한 번씩 사용하여 네 자리 수를 만듭니다. 물음에 맞는 식과 답을 쓰세요.

승호 [7 3 5 0]　　　　　정수 [4 8 6 1]

두 사람이 만든 네 자리 수의 합이 가장 작을 때의 값을 구하세요.

식 _____　　　답 _____

두 사람이 만든 네 자리 수의 차가 가장 클 때의 값을 구하세요.

식 _____　　　답 _____

4 주어진 숫자 카드를 한 번씩 사용하여 만들 수 있는 두 번째 큰 네 자리 수와 두 번째 작은 네 자리 수의 합과 차를 각각 구하세요.

[5 0 8 1]

합: _____

차: _____

5 숫자 카드 0 , 1 , 3 , 5 , 7 이 각각 1장씩 있습니다. 이 중 4장을 사용하여 만들 수 있는

백의 자리가 7인 가장 큰 네 자리 수와 가장 작은 네 자리 수의 합은 얼마일까요?

식 _____　　　답 _____

세 수의 덧셈

세 수의 덧셈 방법을 알아봅시다.

$2145 + 5671 + 678 =$ ⬚8494

⬚7816

⬚8494

```
  1 1 1
  2 1 4 5
  5 6 7 1
+   6 7 8
─────────
  8 4 9 4
```

$3150 + 382 + 1248 =$ ⬚

⬚

⬚

```
  3 1 5 0
    3 8 2
+ 1 2 4 8
─────────
  ☐ ☐ ☐ ☐
```

$1560 + 4508 + 2034 =$ ⬚

⬚

⬚

```
  1 5 6 0
  4 5 0 8
+ 2 0 3 4
─────────
  ☐ ☐ ☐ ☐
```

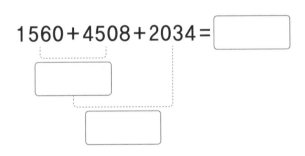

$3026 + 2785 + 1899 =$ ⬚

⬚

⬚

```
  3 0 2 6
  2 7 8 5
+ 1 8 9 9
─────────
  ☐ ☐ ☐ ☐
```

```
    3 5 7 8           6 5 4 9           1 6 3 9
      7 6 9           1 4 5 8           1 3 7 5
  + 2 8 5 4         +   7 9 4         + 2 6 9 7
```

```
    4 1 0 9           1 5 6 9           2 6 7 2
      5 2 5           5 3 9 1           4 0 7 0
  + 1 2 4 7         +   6 3 2         + 1 5 8 9
```

```
    2 3 2 3           1 4 3 7           3 2 2 1
    4 1 7 7           6 5 4 3           1 8 4 2
  + 1 5 4 3         + 1 1 2 2         + 2 3 6 2
```

350+6420+1204   5350+740+1404

2412+1871+3400   1350+2201+2400

4502+1206+3786   1678+2457+1783

1 하나의 ◯ 안에 들어있는 수의 합이 ▭ 안의 수와 같을 때 ☐ 안에 알맞은 수를 쓰세요.

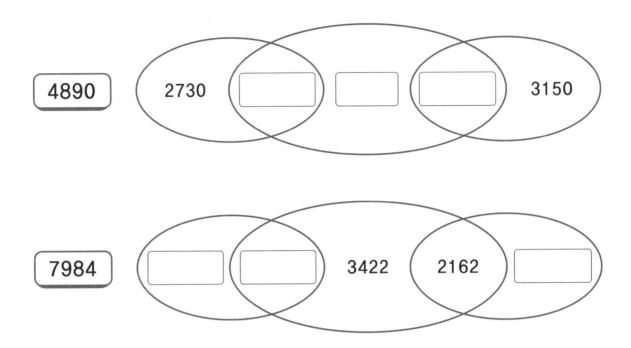

2 빈칸에 알맞은 수를 쓰세요.

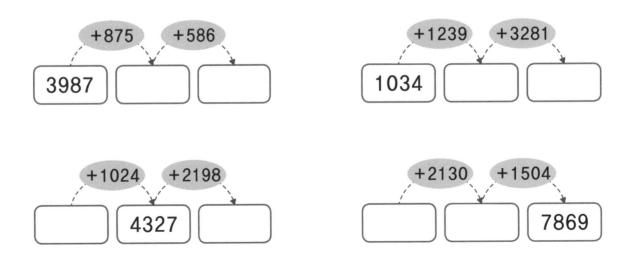

3 오늘 축구장에 입장한 남자 어린이는 **1845**명, 여자 어린이는 **2317**명, 어른은 **3562**명입니다.
   오늘 축구장에 입장한 사람은 모두 몇 명일까요?

식 _____   답 _____ 명

4 병원에서 철호네 집까지의 거리는 몇 m일까요? 그림을 보고 ☐를 사용한 식을 세우고 답을 구하세요.

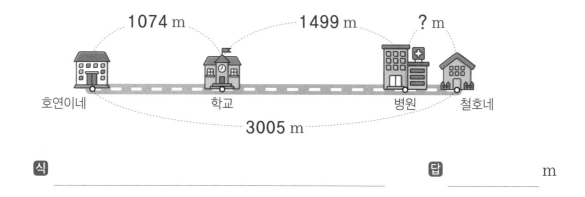

식 _____   답 _____ m

5 준영이는 삼촌에게 용돈 **3500**원을 받았고, 준영이 형은 준영이보다 **850**원을 더 받았습니다. 준영
   이와 형이 받은 용돈은 모두 얼마일까요?

식 _____   답 _____ 원

1 빈칸에 알맞은 수를 쓰세요.

| 5937 | +2394 | | −4736 | | +6412 | |

2 오른쪽은 농구장에 입장한 사람 수를 나타낸 표입니다. 남자는 여자보다 몇 명 더 입장했을까요?

_____ 명

사람 수(명)	어른	아이
남자	2957	3826
여자	1952	1785

3 아래 두 수의 합이 위의 수가 됩니다. 빈칸에 알맞은 수를 쓰세요.

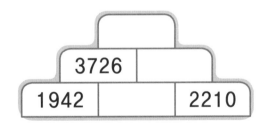

3726	
1942		2210

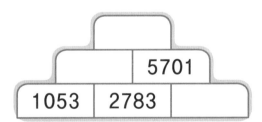

	5701
1053	2783	

4 네 자리 수가 적힌 종이 2장 중에서 한 장이 찢어져서 천의 자리 숫자만 보입니다. 두 수의 합이 **7392**일 때 두 수의 차를 구하세요.

3870   3

차: ☐

5 숫자 카드를 한 번씩 모두 사용하여 합이 가장 큰 네 자리 수끼리의 덧셈식과 차가 가장 큰 네 자리 수끼리의 뺄셈식을 만들고 계산하세요.

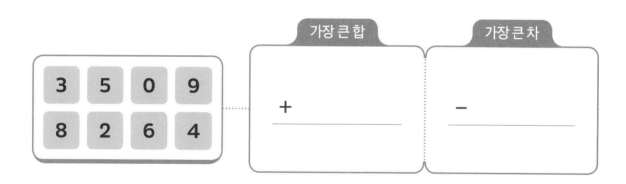

가장 큰 합	가장 큰 차
+	−

숫자 카드: 3 5 0 9 8 2 6 4

6 오늘 야구장에 입장한 남자 어린이는 **2886**명, 여자 어린이는 **2416**명, 어른은 **3977**명입니다. 오늘 야구장에 입장한 사람은 모두 몇 명일까요?

식 _____   답 _____ 명

7 영재와 호준이는 자신의 숫자 카드를 한 번씩 사용하여 네 자리 수를 만듭니다. 물음에 맞는 식과 답을 쓰세요.

영재 　　　호준

두 사람이 만든 네 자리 수의 합이 가장 작을 때의 값을 구하세요.

　_____　답 _____

두 사람이 만든 네 자리 수의 차가 가장 클 때의 값을 구하세요.

　_____　답 _____

8 빈칸에 알맞은 수를 쓰세요.

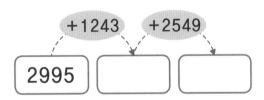　　　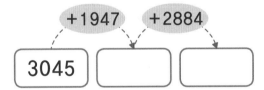

9 지호는 삼촌에게 용돈으로 **3200**원을 받았고, 영지는 지호보다 **750**원을 더 받았습니다. 지호와 영지가 받은 용돈은 모두 얼마일까요?

　_____　답 _____ 원

정답

B3
초2~초3

세 자리 수와 네 자리 수의
덧셈, 뺄셈

사고가 자라는 수학

씨투엠

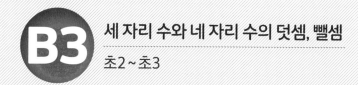

B3

세 자리 수와 네 자리 수의 덧셈, 뺄셈

초2 ~ 초3

정답 및 길잡이

세 자리 수 덧셈·뺄셈

225 세 자리 수끼리의 덧셈

세 자리 수끼리 덧셈하는 방법을 알아봅시다.

$$
\begin{array}{r} 1 \\ 486 \\ +\ 329 \\ \hline 5 \end{array}
\Rightarrow
\begin{array}{r} 1\ 1 \\ 486 \\ +\ 329 \\ \hline 15 \end{array}
\Rightarrow
\begin{array}{r} 1\ 1 \\ 486 \\ +\ 329 \\ \hline 815 \end{array}
$$

같은 자리 숫자끼리의 합이 10보다 크거나 같으면 받아올림 계산합니다.

$$
\begin{array}{r} \boxed{1} \\ 324 \\ +\ 527 \\ \hline \boxed{851} \end{array}
\qquad
\begin{array}{r} \boxed{1} \\ 241 \\ +\ 678 \\ \hline \boxed{919} \end{array}
\qquad
\begin{array}{r} \boxed{1} \\ 738 \\ +\ 159 \\ \hline \boxed{897} \end{array}
$$

$$
\begin{array}{r} \boxed{1\ 1} \\ 246 \\ +\ 386 \\ \hline \boxed{632} \end{array}
\qquad
\begin{array}{r} \boxed{1\ 1} \\ 492 \\ +\ 318 \\ \hline \boxed{810} \end{array}
\qquad
\begin{array}{r} \boxed{1\ 1} \\ 133 \\ +\ 569 \\ \hline \boxed{702} \end{array}
$$

$$
\begin{array}{r} \boxed{1\ 1} \\ 856 \\ +\ 758 \\ \hline \boxed{1614} \end{array}
\qquad
\begin{array}{r} \boxed{1\ 1} \\ 457 \\ +\ 673 \\ \hline \boxed{1130} \end{array}
\qquad
\begin{array}{r} \boxed{1\ 1} \\ 659 \\ +\ 994 \\ \hline \boxed{1653} \end{array}
$$

$$
\begin{array}{r} 230 \\ +\ 510 \\ \hline 740 \end{array}
\qquad
\begin{array}{r} 304 \\ +\ 420 \\ \hline 724 \end{array}
\qquad
\begin{array}{r} 355 \\ +\ 162 \\ \hline 517 \end{array}
$$

$$
\begin{array}{r} 318 \\ +\ 273 \\ \hline 591 \end{array}
\qquad
\begin{array}{r} 582 \\ +\ 145 \\ \hline 727 \end{array}
\qquad
\begin{array}{r} 342 \\ +\ 467 \\ \hline 809 \end{array}
$$

$$
\begin{array}{r} 429 \\ +\ 394 \\ \hline 823 \end{array}
\qquad
\begin{array}{r} 542 \\ +\ 268 \\ \hline 810 \end{array}
\qquad
\begin{array}{r} 754 \\ +\ 167 \\ \hline 921 \end{array}
$$

$$
\begin{array}{r} 674 \\ +\ 549 \\ \hline 1223 \end{array}
\qquad
\begin{array}{r} 826 \\ +\ 179 \\ \hline 1005 \end{array}
\qquad
\begin{array}{r} 728 \\ +\ 493 \\ \hline 1221 \end{array}
$$

$$
\begin{array}{r} 472 \\ +\ 134 \\ \hline 606 \end{array}
\qquad
\begin{array}{r} 367 \\ +\ 347 \\ \hline 714 \end{array}
\qquad
\begin{array}{r} 678 \\ +\ 652 \\ \hline 1330 \end{array}
$$

응용연산

1 □ 안에 알맞은 수를 쓰세요.

$$
\begin{array}{r} 3\ \boxed{5}\ 7 \\ +\ 2\ 6\ 8 \\ \hline 6\ 2\ 5 \end{array}
\qquad
\begin{array}{r} 6\ 4\ \boxed{8} \\ +\ 2\ 7\ 7 \\ \hline 9\ 2\ 5 \end{array}
\qquad
\begin{array}{r} 5\ 4\ 2 \\ +\ 2\ 8\ \boxed{8} \\ \hline 8\ 3\ 0 \end{array}
$$

$$
\begin{array}{r} 4\ 6\ \boxed{8} \\ +\ 8\ 4\ 7 \\ \hline 1\ 3\ 1\ 5 \end{array}
\qquad
\begin{array}{r} \boxed{5}\ 3\ 7 \\ +\ 7\ 8\ \boxed{8} \\ \hline 1\ 3\ 2\ 5 \end{array}
\qquad
\begin{array}{r} 7\ 6\ 3 \\ +\ 2\ 8\ \boxed{9} \\ \hline 1\ 0\ 5\ 2 \end{array}
$$

2 주어진 수 중 두 수를 사용하여 덧셈식을 완성하세요.

374		
272	$\begin{array}{r} 3\ 7\ 4 \\ +\ \boxed{2\ 8\ 2} \\ \hline 6\ 5\ 6 \end{array}$	
394		
282		

256		
486	$\begin{array}{r} 4\ 8\ 6 \\ +\ \boxed{2\ 3\ 5} \\ \hline 7\ 2\ 1 \end{array}$	
495		
235		

156		
168	$\begin{array}{r} \boxed{2\ 5\ 4} \\ +\ \boxed{1\ 6\ 8} \\ \hline 4\ 2\ 2 \end{array}$	
276		
254		

288		
366	$\begin{array}{r} 3\ 6\ 6 \\ +\ \boxed{2\ 7\ 7} \\ \hline 6\ 4\ 3 \end{array}$	
277		
395		

더하는 두 수의 순서를 바꾸어도 정답입니다.

3 다음 덧셈식에서 ⊙, ⊙이 실제로 나타내는 수를 각각 쓰세요.

$$
\begin{array}{r} {\scriptstyle ⊙\ ⊙} \\ {\scriptstyle 1\ 1} \\ 5\ 3\ 8 \\ +\ 8\ 7\ 2 \\ \hline 1\ 4\ 1\ 0 \end{array}
$$

⊙: $\boxed{100}$
⊙: $\boxed{10}$

4 민수네 학교에서는 연극을 보러 공연장에 가려고 합니다. 공연장에는 일반석이 765석, 특별석이 346석 있습니다. 공연장의 좌석은 모두 몇 석일까요?

$$
\begin{array}{r} 7\ 6\ 5 \\ +\ 3\ 4\ 6 \\ \hline \boxed{1\ 1\ 1\ 1} \end{array}
$$

답 $\underline{1111}$ 석

5 제주도로 가는 비행기에 어른 812명과 어린이 297명이 타고 있습니다. 이 비행기에 타고 있는 사람은 모두 몇 명일까요?

$$
\begin{array}{r} 8\ 1\ 2 \\ +\ 2\ 9\ 7 \\ \hline \boxed{1\ 1\ 0\ 9} \end{array}
$$

답 $\underline{1109}$ 명

C 2일 226 여러 가지 방법으로 덧셈하기

여러 가지 방법으로 덧셈을 해 봅시다.

$365 + 197$
$= (360 + \boxed{190}) + (\boxed{5} + 7)$
$= \boxed{550} + 12 = \boxed{562}$

365를 360과 5로,
197을 190과 7로 나누어 더합니다.

$365 + 197$
$= 365 + 200 - \boxed{3}$
$= \boxed{565} - 3 = \boxed{562}$

197을 200-3으로 생각하여
365에 200을 더하고, 3을 뺍니다.

$475 + 289$
$= (470 + \boxed{280}) + (\boxed{5} + 9)$
$= \boxed{750} + 14 = \boxed{764}$

$475 + 289$
$= 475 + 300 - \boxed{11}$
$= \boxed{775} - 11 = \boxed{764}$

$258 + 495$
$= (250 + \boxed{490}) + (\boxed{8} + 5)$
$= \boxed{740} + 13 = \boxed{753}$

$258 + 495$
$= 258 + 500 - \boxed{5}$
$= \boxed{758} - 5 = \boxed{753}$

$527 + 198$
$= (520 + \boxed{190}) + (\boxed{7} + 8)$
$= \boxed{710} + 15 = \boxed{725}$

$527 + 198$
$= 527 + 200 - \boxed{2}$
$= \boxed{727} - 2 = \boxed{725}$

$279 + 685$
$= (270 + \boxed{680}) + (\boxed{9} + \boxed{5})$
$= \boxed{950} + 14 = \boxed{964}$

270과 680의 합에 9와 5의 합을 더합니다.

$525 + 399$
$= 525 + \boxed{400} - \boxed{1}$
$= \boxed{925} - 1 = \boxed{924}$

399를 더하는 대신 400을 더하고 1을 뺍니다.

$503 + 459$
$= (500 + \boxed{400}) + (\boxed{3} + \boxed{59})$
$= \boxed{900} + 62 = \boxed{962}$

500과 400의 합에 3과 59의 합을 더합니다.

$237 + 586$
$= 237 + \boxed{600} - \boxed{14}$
$= \boxed{837} - 14 = \boxed{823}$

586을 더하는 대신 600을 더하고 14를 뺍니다.

$346 + 508$
$= 346 + \boxed{500} + 8$
$= \boxed{846} + 8 = \boxed{854}$

508을 500+8로 생각하여 346과 500의 합에 8을 더합니다.

$697 + 237$
$= \boxed{700} + 237 - \boxed{3}$
$= \boxed{937} - 3 = \boxed{934}$

697을 700-3으로 생각하여 700과 237의 합에서 3을 뺍니다.

$648 + 203$
$= 648 + \boxed{200} + 3$
$= \boxed{848} + 3 = \boxed{851}$

203을 200+3으로 생각하여 648과 200의 합에 3을 더합니다.

$458 + 395$
$= 458 + \boxed{400} - 5$
$= \boxed{858} - 5 = \boxed{853}$

395를 더하는 대신 400을 더하고 5를 뺍니다.

응용연산

1 상자 속 수를 한 번씩 모두 사용하여 덧셈식을 모두 완성하세요.

187 263 362 254

$\boxed{187} + \boxed{254} = 441$
$\boxed{263} + \boxed{362} = 625$

168 189 174 165

$\boxed{174} + \boxed{165} = 339$
$\boxed{168} + \boxed{189} = 357$

375 463 267 245

$\boxed{463} + \boxed{267} = 730$
$\boxed{375} + \boxed{245} = 620$

437 287 259 395

$\boxed{437} + \boxed{395} = 832$
$\boxed{287} + \boxed{259} = 546$

2 올바른 식이 되도록 숫자 카드 2장의 순서를 바꾸어 식을 쓰세요.

4 6 1 + 2 9 5 = 684 ➡ $469 + 215 = 684$

2 4 5 + 3 8 7 = 830 ➡ $243 + 587 = 830$

3 5 8 + 1 6 2 = 493 ➡ $328 + 165 = 493$

더하는 두 수의 순서를 바꾸어도 정답입니다.

3 지은이가 문구점에서 산 물건 2개의 값이 1000원입니다. 지은이가 산 물건은 무엇일까요?

연필 370원 색종이 640원 풀 360원 공책 740원

답 $\boxed{640} + \boxed{360} = 1000$ 답 색종이 와 풀

4 공장에서 자전거를 2월에는 472대, 3월에는 369대 만들었습니다. 2월과 3월에 만든 자전거는 모두 몇 대일까요?

식 $472 + 369 = 841$ 답 841 대

5 오른쪽은 도희네 학교 2학년과 3학년의 학생 수를 나타낸 표입니다. 표를 보고 물음에 맞는 식과 답을 쓰세요.

학생 수(명)	남학생	여학생
2학년	348	353
3학년	298	309

도희네 학교의 2학년 학생은 모두 몇 명일까요?

식 $348 + 353 = 701$ 답 701 명

도희네 학교의 2학년과 3학년 남학생은 모두 몇 명일까요?

식 $348 + 298 = 646$ 답 646 명

정답 및 해설

14·15쪽 C 227 세 자리 수 뺄셈

세 자리 수의 뺄셈 방법을 알아봅시다.

$$
\begin{array}{r} 1\ 3\ 2\ 5 \\ -\quad 8\ 4\ 7 \\ \hline 8 \end{array}
\Rightarrow
\begin{array}{r} 1\ 3\ 2\ 5 \\ -\quad 8\ 4\ 7 \\ \hline 7\ 8 \end{array}
\Rightarrow
\begin{array}{r} 1\ 3\ 2\ 5 \\ -\quad 8\ 4\ 7 \\ \hline 4\ 7\ 8 \end{array}
$$

같은 자리 숫자끼리 뺄 수 없으면 받아내려 계산합니다.

$$
\begin{array}{r} 8\ 2\ 9 \\ -1\ 5\ 4 \\ \hline 6\ 7\ 5 \end{array}
\qquad
\begin{array}{r} 9\ 7\ 2 \\ -5\ 3\ 5 \\ \hline 4\ 3\ 7 \end{array}
\qquad
\begin{array}{r} 4\ 1\ 3 \\ -2\ 9\ 2 \\ \hline 1\ 2\ 1 \end{array}
$$

$$
\begin{array}{r} 1\ 8\ 3\ 7 \\ -\ \ 3\ 6\ 1 \\ \hline 1\ 4\ 7\ 6 \end{array}
\qquad
\begin{array}{r} 1\ 7\ 8\ 3 \\ -\ \ 3\ 1\ 9 \\ \hline 1\ 4\ 6\ 4 \end{array}
\qquad
\begin{array}{r} 1\ 9\ 1\ 7 \\ -\ \ 5\ 5\ 3 \\ \hline 1\ 3\ 6\ 4 \end{array}
$$

$$
\begin{array}{r} 1\ 2\ 7\ 4 \\ -\ \ 8\ 2\ 8 \\ \hline 4\ 4\ 6 \end{array}
\qquad
\begin{array}{r} 1\ 3\ 2\ 3 \\ -\ \ 6\ 6\ 5 \\ \hline 6\ 5\ 8 \end{array}
\qquad
\begin{array}{r} 1\ 2\ 0\ 6 \\ -\ \ 8\ 9\ 4 \\ \hline 3\ 1\ 2 \end{array}
$$

$$
\begin{array}{r} 5\ 7\ 0 \\ -3\ 1\ 0 \\ \hline 2\ 6\ 0 \end{array}
\qquad
\begin{array}{r} 8\ 4\ 9 \\ -6\ 0\ 7 \\ \hline 2\ 4\ 2 \end{array}
\qquad
\begin{array}{r} 7\ 6\ 2 \\ -4\ 5\ 1 \\ \hline 3\ 1\ 1 \end{array}
$$

$$
\begin{array}{r} 9\ 4\ 7 \\ -2\ 1\ 8 \\ \hline 7\ 2\ 9 \end{array}
\qquad
\begin{array}{r} 6\ 7\ 0 \\ -5\ 5\ 9 \\ \hline 1\ 1\ 1 \end{array}
\qquad
\begin{array}{r} 2\ 8\ 4 \\ -1\ 9\ 2 \\ \hline 9\ 2 \end{array}
$$

$$
\begin{array}{r} 7\ 0\ 0 \\ -1\ 4\ 7 \\ \hline 5\ 5\ 3 \end{array}
\qquad
\begin{array}{r} 3\ 8\ 5 \\ -2\ 9\ 8 \\ \hline 8\ 7 \end{array}
\qquad
\begin{array}{r} 5\ 2\ 0 \\ -1\ 8\ 9 \\ \hline 3\ 3\ 1 \end{array}
$$

$$
\begin{array}{r} 8\ 3\ 3 \\ -4\ 8\ 6 \\ \hline 3\ 4\ 7 \end{array}
\qquad
\begin{array}{r} 9\ 2\ 6 \\ -1\ 7\ 9 \\ \hline 7\ 4\ 7 \end{array}
\qquad
\begin{array}{r} 6\ 6\ 1 \\ -2\ 8\ 5 \\ \hline 3\ 7\ 6 \end{array}
$$

$$
\begin{array}{r} 1\ 3\ 0\ 5 \\ -\ \ 2\ 3\ 7 \\ \hline 1\ 0\ 6\ 8 \end{array}
\qquad
\begin{array}{r} 1\ 6\ 4\ 1 \\ -\ \ 8\ 5\ 2 \\ \hline 7\ 8\ 9 \end{array}
\qquad
\begin{array}{r} 1\ 4\ 3\ 5 \\ -\ \ 7\ 4\ 7 \\ \hline 6\ 8\ 8 \end{array}
$$

16·17쪽 응용연산

1 □ 안에 알맞은 수를 쓰세요.

$$
\begin{array}{r} 4\ 3\ 5 \\ -1\ 7\ 9 \\ \hline 2\ 5\ 6 \end{array}
\qquad
\begin{array}{r} 5\ 8\ 5 \\ -2\ 6\ 8 \\ \hline 3\ 1\ 7 \end{array}
\qquad
\begin{array}{r} 7\ 3\ 7 \\ -4\ 9\ 7 \\ \hline 2\ 4\ 0 \end{array}
$$

$$
\begin{array}{r} 5\ 6\ 2 \\ -3\ 4\ 8 \\ \hline 2\ 1\ 4 \end{array}
\qquad
\begin{array}{r} 9\ 3\ 3 \\ -7\ 2\ 8 \\ \hline 2\ 0\ 5 \end{array}
\qquad
\begin{array}{r} 4\ 4\ 0 \\ -2\ 5\ 8 \\ \hline 1\ 8\ 2 \end{array}
$$

2 주어진 수 중 두 수를 사용하여 뺄셈식을 완성하세요.

297	
154	$\begin{array}{r} 2\ 9\ 7 \\ -1\ 5\ 4 \\ \hline 1\ 4\ 3 \end{array}$
254	
178	

345	
337	$\begin{array}{r} 3\ 4\ 5 \\ -2\ 5\ 7 \\ \hline 8\ 8 \end{array}$
257	
289	

298	
469	$\begin{array}{r} 4\ 6\ 9 \\ -2\ 9\ 8 \\ \hline 1\ 7\ 1 \end{array}$
567	
394	

145	
198	$\begin{array}{r} 2\ 8\ 7 \\ -1\ 4\ 5 \\ \hline 1\ 4\ 2 \end{array}$
249	
287	

3 같은 모양에 있는 두 수의 차를 구하세요.

$$
\begin{array}{r} 7\ 1\ 9 \\ -3\ 4\ 5 \\ \hline 3\ 7\ 4 \end{array}
\qquad
\begin{array}{r} 9\ 8\ 2 \\ -3\ 7\ 6 \\ \hline 6\ 0\ 6 \end{array}
\qquad
\begin{array}{r} 4\ 7\ 6 \\ -2\ 7\ 4 \\ \hline 2\ 0\ 2 \end{array}
$$

4 문구점에 공책 420권이 있었습니다. 공책 157권이 팔렸다면 남은 공책은 몇 권일까요?

답 __263__ 권

$$
\begin{array}{r} 4\ 2\ 0 \\ -1\ 5\ 7 \\ \hline 2\ 6\ 3 \end{array}
$$

5 동현이는 줄넘기를 어제는 289번 하였고, 오늘은 432번 하였습니다. 오늘은 어제보다 몇 번 더 하였을까요?

답 __143__ 번

$$
\begin{array}{r} 4\ 3\ 2 \\ -2\ 8\ 9 \\ \hline 1\ 4\ 3 \end{array}
$$

4일 C **228** 여러 가지 방법으로 뺄셈하기

여러 가지 방법으로 뺄셈을 해 봅시다.

871−565
=871− 500 −65
= 371 −65= 306
871에서 500을 먼저 뺀 후
그 계산 결과에서 65를 뺍니다.

736−589
=736− 600 +11
= 136 +11= 147
589를 빼는 대신 736에서
600을 빼고 11을 더합니다.

682−275
=682− 200 −75
= 482 −75= 407

825−392
=825− 400 +8
= 425 +8= 433

765−348
=765− 300 −48
= 465 −48= 417

923−188
=923− 200 +12
= 723 +12= 735

549−117
=549− 100 −17
= 449 −17= 432

642−296
=642− 300 +4
= 342 +4= 346

972−468
=972− 400 −68
= 572 −68= 504
972에서 400을 먼저 뺀 후 그 계산 결과에서
68을 뺍니다.

595−343
=595− 300 − 43
= 295 −43= 252
595에서 300을 먼저 뺀 후 그 계산 결과에서
43을 뺍니다.

602−189
=402+(200 −189)
= 402 +11= 413
602를 402와 200으로 나눈 후 402에
200과 189의 차를 더합니다.

637−289
=337+(300− 289)
=337+ 11 = 348
637을 337과 300으로 나눈 후 337에 300과
289의 차를 더합니다.

715−397
=715− 400 + 3
= 315 +3= 318
397을 빼는 대신 400을 빼고 3을 더합니다.

912−196
=912− 200 +4
= 712 + 4 = 716
196을 빼는 대신 200을 빼고 4를 더합니다.

846−128
=(800− 100)+(46−28)
= 700 + 18 = 718
800과 100의 차에 46과 28의 차를 더합니다.

772−459
=(700− 400)+(72−59)
= 300 + 13 = 313
700과 400의 차에 72와 59의 차를 더합니다.

응용연산

1 상자 속 수를 한 번씩 모두 사용하여 뺄셈식을 모두 완성하세요.

463 364 971 896
896 − 364 =532
971 − 463 =508

786 438 576 659
786 − 659 =127
576 − 438 =138

543 649 321 865
865 − 649 =216
543 − 321 =222

376 256 365 298
376 − 298 =78
365 − 256 =109

2 주어진 수 두 수를 사용하여 차가 가장 작은 식을 만드세요.

792 904 412 591
904 − 792 = 112

481 305 611 788
611 − 481 = 130

3 미주는 주머니에서 구슬 2개를 꺼내 수의 차가 500에 가장 가까운 뺄셈식을 만들려고 합니다. 구슬의 수로 뺄셈식을 만드세요.

814 − 367 − 447

4 수직선을 보고 □ 안에 알맞은 수를 쓰세요.

182 219
289 471 690
471−289=182
690−471=219

177 283
148 325 608
325−148=177
608−325=283

5 다음은 도훈이네 학교의 학년별 학생 수를 나타낸 표입니다. 물음에 맞는 식과 답을 쓰세요.

학년	1학년	2학년	3학년	4학년	5학년	6학년
학생 수(명)	397	389	404	385	416	421

학생 수가 가장 많은 학년의 학생은 가장 적은 학년의 학생보다 몇 명 더 많을까요?

식 421−385=36 답 36 명

3학년 학생 중 여학생은 198명입니다. 3학년 남학생은 몇 명일까요?

식 404−198=206 답 206 명

정답 및 해설 **5**

형성평가

1 주어진 수 중 두 수를 사용하여 덧셈식을 완성하세요.

| 193 |
| 274 |
| 168 |
| 294 |

```
  2 7 4
+ 1 9 3
-------
  4 6 7
```

| 375 |
| 486 |
| 587 |
| 496 |

```
  4 9 6
+ 4 8 6
-------
  9 8 2
```

2 현지네 학교에서는 연극을 보러 공연장에 가려고 합니다. 공연장에는 일반석이 683석, 특별석이 129석 있습니다. 공연장의 좌석은 모두 몇 석일까요?

```
  6 8 3
+ 1 2 9
-------
  8 1 2
```

답 812 석

3 상자 속 수를 한 번씩 모두 사용하여 덧셈식을 모두 완성하세요.

596 477 365 296

477 + 296 =773

596 + 365 =961

244 497 578 263

497 + 263 =760

578 + 244 =822

더하는 두 수의 순서를 바꾸어도 정답입니다.

4 연우가 문구점에서 산 물건 2개의 값이 940원입니다. 연우가 산 물건은 무엇일까요?

식 190 + 750 = 940   답 지우개 와 컴퍼스

5 □ 안에 알맞은 수를 쓰세요.

```
  3 8 0
- 1 5 4
-------
  2 2 6
```

```
  4 0 7
- 2 9 0
-------
  1 1 7
```

6 동현이는 줄넘기를 어제는 138번 하였고, 오늘은 397번 하였습니다. 오늘은 어제보다 몇 번을 더 하였을까요?

답 259 번

```
  3 9 7
- 1 3 8
-------
  2 5 9
```

7 상자 속 수를 한 번씩 모두 사용하여 뺄셈식을 모두 완성하세요.

734 840 555 385

840 - 385 =455

734 - 555 =179

642 359 876 243

642 - 243 =399

876 - 359 =517

8 수직선을 보고 □ 안에 알맞은 수를 쓰세요.

207   207

179   386   593

386 - 179 = 207
593 - 386 = 207

283   177

247   530   707

530 - 247 = 283
707 - 530 = 177

9 서울역에서 출발하는 기차에 890명이 타고 있었습니다. 다음 역에서 268명이 내리고 새로 탄 사람은 없습니다. 기차에 타고 있는 사람은 몇 명일까요?

식 890 - 268 = 622   답 622 명

세 자리 수 덧셈·뺄셈 활용

C 229 1일

두 수의 합과 차

두 수의 합과 차를 구해 봅시다.

| 384 | 531 |

⑭ 384 + 531 = 915
⑭ 531 − 384 = 147

| 275 | 451 |

⑭ 451 + 275 = 726
⑭ 451 − 275 = 176

| 321 | 601 |

⑭ 601 + 321 = 922
⑭ 601 − 321 = 280

| 839 | 147 |

⑭ 839 + 147 = 986
⑭ 839 − 147 = 692

| 566 | 284 |

⑭ 566 + 284 = 850
⑭ 566 − 284 = 282

| 715 | 196 |

⑭
```
  7 1 5
+ 1 9 6
  9 1 1
```
⑭
```
  7 1 5
− 1 9 6
  5 1 9
```

| 673 | 119 |

⑭
```
  6 7 3
+ 1 1 9
  7 9 2
```
⑭
```
  6 7 3
− 1 1 9
  5 5 4
```

```
  3 5 6
+ 2 1 7
  5 7 3
```

```
  7 2 9
− 3 7 4
  3 5 5
```

```
  6 8 4
+ 1 8 2
  8 6 6
```

```
  9 8 5
− 8 1 6
  1 6 9
```

```
  5 6 5
+ 2 1 8
  7 8 3
```

```
  4 1 3
− 2 6 8
  1 4 5
```

```
  7 6 6
+ 4 1 7
1 1 8 3
```

```
1 0 2 9
− 3 7 4
  6 5 5
```

```
  2 5 8
+ 9 5 6
1 2 1 4
```

345 + 616 = 961

906 − 452 = 454

672 − 349 = 323

768 + 334 = 1102

562 + 275 = 837

807 − 154 = 653

응용연산

1 빈 곳에 알맞은 수를 쓰세요.

| 347 | +465 | 812 | −527 | 285 | +124 | 409 |

| 1024 | −372 | 652 | +304 | 956 | −687 | 269 |

3 주어진 수를 사용하여 덧셈식 2개와 뺄셈식 2개를 만드세요.

255 + 478 = 733   (733)   733 − 255 = 478
478 + 255 = 733   (255)(478)   733 − 478 = 255

4 다음을 보고 물음에 맞는 식과 답을 쓰세요.

> 소연: 우리 학교 학생은 모두 716명이야.
> 동호: 우리 학교 학생 수는 소연이네 학교 학생보다 138명이 더 많아.
> 하선: 우리 학교 학생 수는 동호네 학교 학생보다 287명이 더 적어.

동호네 학교 학생은 모두 몇 명일까요?

식 716 + 138 = 854   답 854 명

하선이네 학교 학생은 모두 몇 명일까요?

식 854 − 287 = 567   답 567 명

2 가로 방향으로 덧셈, 세로 방향으로 뺄셈을 하여 빈칸에 알맞은 수를 쓰세요.

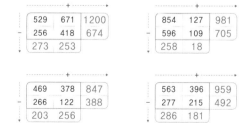

```
      +
  529  671 1200
−
  256  418  674
  273  253
```

```
      +
  854  127  981
−
  596  109  705
  258   18
```

```
      +
  469  378  847
−
  266  122  388
  203  256
```

```
      +
  563  396  959
−
  277  215  492
  286  181
```

5 어느 문구점에 색연필 327자루, 연필 556자루가 있었습니다. 오늘 색연필을 159자루, 연필을 288자루 팔았습니다. 문구점에 남은 연필과 색연필은 각각 몇 자루일까요?

색연필: 168 자루, 연필: 268 자루
327 − 159 = 168   556 − 288 = 268

30·31쪽

230 □가 있는 덧셈과 뺄셈

□의 값을 구해 봅시다.

452	□
691	

762	
□	153

$452+□=691$

$□= \boxed{691} - \boxed{452}$

$= \boxed{239}$

$762-□=153$

$□= \boxed{762} - \boxed{153}$

$= \boxed{609}$

$□+452=611$

$□= \boxed{611} - \boxed{452}$

$= \boxed{159}$

$□-372=562$

$□= \boxed{562} + \boxed{372}$

$= \boxed{934}$

$387+□=916$

$□= \boxed{916} - \boxed{387}$

$= \boxed{529}$

$866-□=428$

$□= \boxed{866} - \boxed{428}$

$= \boxed{438}$

$□+187=934$

$□= \boxed{934} - \boxed{187}$

$= \boxed{747}$

$□-674=279$

$□= \boxed{674} + \boxed{279}$

$= \boxed{953}$

$$\begin{array}{r} 4\ 5\ 6 \\ +\ \boxed{3\ 5\ 5} \\ \hline 8\ 1\ 1 \end{array}$$

$$\begin{array}{r} 9\ 2\ 6 \\ -\ \boxed{4\ 7\ 0} \\ \hline 4\ 5\ 6 \end{array}$$

$$\begin{array}{r} 1\ 7\ 8 \\ +\ \boxed{3\ 5\ 6} \\ \hline 5\ 3\ 4 \end{array}$$

$$\begin{array}{r} \boxed{9\ 1\ 3} \\ -\ 3\ 4\ 6 \\ \hline 5\ 6\ 7 \end{array}$$

$$\begin{array}{r} \boxed{1\ 2\ 0\ 3} \\ -\ 2\ 6\ 9 \\ \hline 9\ 3\ 4 \end{array}$$

$$\begin{array}{r} \boxed{6\ 2\ 9} \\ -\ 1\ 7\ 8 \\ \hline 4\ 5\ 1 \end{array}$$

$$\begin{array}{r} 4\ 5\ 6 \\ +\ \boxed{7\ 7\ 8} \\ \hline 1\ 2\ 3\ 4 \end{array}$$

$$\begin{array}{r} 1\ 3\ 4\ 5 \\ -\ \boxed{5\ 6\ 1} \\ \hline 7\ 8\ 4 \end{array}$$

$$\begin{array}{r} 8\ 5\ 4 \\ +\ \boxed{5\ 3\ 6} \\ \hline 1\ 3\ 9\ 0 \end{array}$$

$156+ \boxed{373} =529$

$845- \boxed{126} =719$

$1048- \boxed{596} =452$

$672+ \boxed{473} =1145$

$443+ \boxed{329} =772$

$1543- \boxed{757} =786$

32·33쪽

응용연산

1 아래 두 수의 합이 위의 수가 됩니다. 빈칸에 알맞은 수를 쓰세요.

	835	
359		476
72	287	189

	763	
331		432
128	203	229

	960	
438		522
239	199	323

	871	
552		319
409	143	176

2 같은 모양은 같은 수를 나타냅니다. □ 안에 알맞은 수를 쓰세요.

$386+■=513$
$316-■= \boxed{189}$
127

$976-●=618$
$●+454= \boxed{812}$
358

$▲-189=365$
$257+▲= \boxed{811}$
554

$♠+471=830$
$♠-149= \boxed{210}$
359

3 세 자리 수가 적힌 종이 2장 중에서 한 장이 찢어져서 백의 자리 숫자만 보입니다. 두 수의 합이 603일 때 두 수의 차를 구하세요.

$\boxed{2\ 4\ 9}$ $\boxed{3}$ 차 : $\boxed{105}$

$603-249=354$ $354-249=105$

4 815는 어떤 수에 259를 더한 수와 같다고 합니다. 어떤 수를 □로 나타내어 식을 세우고 어떤 수를 구하세요.

식 $□+259=815$ 어떤 수 : 556

5 민수가 저금통에 450원을 넣었더니 저금통 안의 돈이 모두 910원이 되었습니다. 처음 저금통에 있던 돈은 얼마인지 □를 사용한 식을 세우고 답을 구하세요.

식 $□+450=910$ 답 460 원

6 어떤 수에 295를 더해야 할 것을 잘못하여 259를 더하였더니 627이 되었습니다. 바르게 계산하면 얼마일까요?

어떤 수 구하기 : 식 $□+259=627$ $□=$ 368

바르게 계산하기 : 식 $368+295=663$ 답 663

3일
231 숫자 카드 덧셈과 뺄셈

개념원리 숫자 카드를 한 번씩 모두 사용하여 덧셈식과 뺄셈식을 완성하여 봅시다.

2 5 7		5 3 8		8 9 5
8 9	+	4 2 9	−	2 1 9
		9 6 7		6 7 6

3 5 7		4 2 6		7 9 3
4 6	+	3 5 8	−	5 2 4
		7 8 4		2 6 9

4 8 9		4 8 8		9 6 0
1 6	+	4 7 3	−	8 2 6
		9 6 1		1 3 4

또는 9 6 0 / − 1 2 6 / 8 3 4

1 3 8		5 3 2		3 8 4
5 2	+	3 3 9	−	2 2 8
		8 7 1		1 5 6

또는 3 8 4 / − 1 2 8 / 2 5 6

---

2 6		6 9 5		9 7 6		9 6 3
3 7	+	2 7 3	−	2 3 5	+	7 5 2
5 9		9 6 8		7 4 1		1 7 1 5

3 1		3 7 5		1 8 3		8 2 3
8 7	−	1 2 8	+	2 7 5	−	7 5 1
5 2		2 4 7		4 5 8		7 2

4 2		1 9 6		6 5 2		4 6 9
9 5	+	4 5 2	−	4 9 1	+	2 5 1
6 1		6 4 8		1 6 1		7 2 0

또는 6 3 7 / − 4 8 9 / 1 4 8   또는 1 9 4 / + 5 2 6 / 7 2 0

3 7		9 3 4		4 6 7		6 3 8
8 6	−	7 8 6	+	3 9 8	−	4 7 9
9 4		1 4 8		8 6 5		1 5 9

덧셈에서는 같은 자리 숫자의 위치가 바뀌어도 정답입니다.

응용연산

1 다음과 같이 숫자 카드를 한 번씩 모두 사용하여 합이 가장 큰 세 자리 수끼리의 덧셈식과 차가 가장 큰 세 자리 수끼리의 뺄셈식을 만들고 계산하세요.

| 3 5 2 | 가장 큰 합 | 가장 큰 차 |
| 7 4 8 | 8 5 3 / + 7 4 2 / 1 5 9 5 | 8 7 5 / − 2 3 4 / 6 4 1 |

| 1 4 3 | 가장 큰 합 | 가장 큰 차 |
| 2 6 7 | 7 4 2 / + 6 3 1 / 1 3 7 3 | 7 6 4 / − 1 2 3 / 6 4 1 |

2 계산기의 색칠된 버튼을 한 번씩 눌러서 세 자리 수끼리의 덧셈식을 계산합니다. 가장 큰 합이 나오도록 버튼을 누른 순서대로 쓰고 계산하세요.

741 + 520 = 1261

덧셈에서는 같은 자리 숫자의 위치가 바뀌어도 정답입니다.

3 숫자 카드를 한 번씩 사용하여 만들 수 있는 가장 큰 세 자리 수와 가장 작은 세 자리 수의 합과 차를 구하려고 합니다. 식을 쓰고 계산하세요.

| 4 5 6 |

합: 654 + 456 = 1110
차: 654 − 456 = 198

| 4 0 2 6 |

합: 642 + 204 = 846
차: 642 − 204 = 438

4 숫자 카드를 도희는 7 , 3 , 5 를, 정호는 4 , 8 , 6 을 가지고 있습니다. 각자 숫자 카드를 한 번씩 사용하여 세 자리 수를 만들 때, 그 두 수의 차가 가장 큰 경우는 얼마일까요?

식 864 − 357 = 507   답 507

5 숫자 카드를 한 번씩 사용하여 만들 수 있는 세 자리 수 중에서 가장 큰 수와 두 번째로 큰 수와의 차는 얼마일까요?

| 2 6 9 |

식 962 − 926 = 36   답 36

정답 및 해설 **9**

38·39쪽

232 C 4일 세 수의 계산

덧셈, 뺄셈이 함께 있는 세 수의 계산 방법을 알아봅시다.

$349+267-149=\boxed{467}$

$\boxed{616}$

	3 4 9
+	2 6 7
	6 1 6

	6 1 6
−	1 4 9
	4 6 7

+, − 가 함께 있는 세 수의 계산은 앞에서부터 순서대로 계산합니다.

$516+349-678=\boxed{187}$

	5 1 6
+	3 4 9
	8 6 5

	8 6 5
−	6 7 8
	1 8 7

$349-267+149=\boxed{231}$

	3 4 9
−	2 6 7
	8 2

	8 2
+	1 4 9
	2 3 1

$922-345-286=\boxed{291}$

	9 2 2
−	3 4 5
	5 7 7

	5 7 7
−	2 8 6
	2 9 1

$345+199+227=\boxed{771}$

	3 4 5
+	1 9 9
	5 4 4

	5 4 4
+	2 2 7
	7 7 1

$350+201+400=951$

$502+120+343=965$

$407+374-370=411$

$561+249-259=551$

$720-290+141=571$

$633-416+421=638$

$876-167+205=914$

$723-261-133=329$

$149+356+244=749$

$356+178+209=743$

$456+297-303=450$

$672-356+256=572$

$744-212-189=343$

$985-245-340=400$

$883+137-234=786$

$506+418-765=159$

40·41쪽

응용연산

1 하나의 ○ 안에 들어있는 수의 합이 □ 안의 수와 같을 때 □ 안에 알맞은 수를 쓰세요.

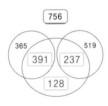

756

365　519
391　237
128

924

132
487　305
437　619

3 수직선을 보고 □ 안에 알맞은 수를 쓰세요.

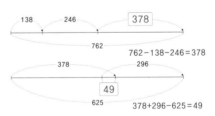

138　246　378
762
$762-138-246=378$

378　296
49
625
$378+296-625=49$

2 빈칸에 알맞은 수를 쓰세요.

+239　+519
185　424　943

−285　−176
961　676　500

+175　−296
312　487　191

−108　+391
535　427　818

4 준영이와 소이가 줄넘기를 했습니다. 준영이는 줄넘기를 271번 하였고, 소이는 준영이보다 109번 적게 하였습니다. 준영이와 소이는 줄넘기를 모두 몇 번 하였을까요?

식 $271+271-109=433$　답 433 번

5 기차에 475명이 타고 있었습니다. 어느 역에서 196명이 내리고 145명이 탔습니다. 기차에 타고 있는 사람은 모두 몇 명일까요?

식 $475-196+145=424$　답 424 명

형성평가

1 가로 방향으로 덧셈, 세로 방향으로 뺄셈을 하여 빈칸에 알맞은 수를 쓰세요.

806	289	1095
531	137	668
275	152	

765	433	1198
384	195	579
381	238	

2 주어진 수를 사용하여 덧셈식 2개와 뺄셈식 2개를 만드세요.

267 + 389 = 656   (656)   656 − 267 = 389

389 + 267 = 656   (389)(267)   656 − 389 = 267

3 아래 두 수의 합이 위의 수가 됩니다. 빈칸에 알맞은 수를 쓰세요.

	876	
462		414
187	275	139

	669	
326		343
139	187	156

4 758은 어떤 수에 269를 더한 수와 같다고 합니다. 어떤 수를 □로 나타내어 식을 세우고 어떤 수를 구하세요.

예 □ + 269 = 758   어떤 수: 489

5 숫자 카드를 한 번씩 모두 사용하여 합이 가장 큰 세 자리 수끼리의 덧셈식과 차가 가장 큰 세 자리 수끼리의 뺄셈식을 만들고 계산하세요.

1 6 3
7 8 5

가장 큰 합
```
  8 6 3
+ 7 5 1
-------
1 6 1 4
```

가장 큰 차
```
  8 7 6
- 1 3 5
-------
  7 4 1
```

6 숫자 카드를 한 번씩 사용하여 만들 수 있는 가장 큰 세 자리 수와 가장 작은 세 자리 수의 합과 차를 구하려고 합니다. 식을 쓰고 계산하세요.

2 4 7

합: 742 + 247 = 989
차: 742 − 247 = 495

3 5 0 7

합: 753 + 305 = 1058
차: 753 − 305 = 448

7 빈칸에 알맞은 수를 쓰세요.

174 →(+257)→ 431 →(+419)→ 850

918 →(−273)→ 645 →(−368)→ 277

8 수직선을 보고 □ 안에 알맞은 수를 쓰세요.

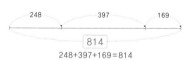

248   397   169

814

248 + 397 + 169 = 814

9 지하철에 590명이 타고 있었습니다. 어느 역에서 376명이 내리고 287명이 탔습니다. 지하철에 타고 있는 사람은 모두 몇 명일까요?

식 590 − 376 + 287 = 501   답 501 명

네 자리 수 덧셈·뺄셈

네 자리 수의 덧셈 (1)

네 자리 수의 덧셈을 알아봅시다.

```
   4 5 6 9          2 7 3 5
 +   7 3 4        + 1 8 6 7
   5 3 0 3          4 6 0 2
```

같은 자리 숫자끼리 계산합니다. 같은 자리 숫자끼리의 합이 10보다 크거나 같으면 받아올려 계산합니다.

```
   5 1 7 2          7 3 8 5
 +   3 8 4        +   6 3 9
   5 5 5 6          8 0 2 4
```

```
   6 4 1 1          4 5 3 7
 +   7 9 8        + 1 6 7 2
   7 2 0 9          6 2 0 9
```

```
   2 3 8 6          3 7 4 8
 + 5 5 3 4        + 1 6 7 8
   7 9 2 0          5 4 2 6
```

```
   8 5 6 3          4 5 7 5
 + 7 2 1 8        + 6 7 4 2
 1 5 7 8 1        1 1 3 1 7
```

```
   1 8 0 0          5 0 4 0          7 3 6 2
 +   3 0 0        +   7 6 5        +   6 5 9
   2 1 0 0          5 8 0 5          8 0 2 1
```

```
   1 6 5 6          1 9 8 8          3 7 4 5
 + 2 7 6 5        + 5 9 3 5        + 1 4 0 2
   4 4 2 1          7 9 2 3          5 1 4 7
```

```
   2 4 7 1          5 9 9 2          7 0 6 3
 + 3 5 4 6        + 2 0 0 8        + 1 9 5 7
   6 0 1 7          8 0 0 0          9 0 2 0
```

```
   3 1 8 7          3 2 6 5          6 8 1 7
 + 2 9 2 5        + 5 7 9 4        + 1 1 9 9
   6 1 1 2          9 0 5 9          8 0 1 6
```

```
   4 7 2 2          6 6 7 3          5 7 8 5
 + 7 3 4 4        + 9 4 7 7        + 8 5 2 5
 1 2 0 6 6        1 6 1 5 0        1 4 3 1 0
```

응용연산

1 ☐안에 알맞은 수를 쓰세요.

```
   3 7 8 2          6 4 2 7
 +   3 5 7        + 2 8 9 3
   4 1 3 9          9 3 2 0
```

```
   2 4 8 5          6 7 4 1
 + 3 6 6 7        + 3 7 8 4
   6 1 5 2        1 0 5 2 5
```

2 주어진 수 중 두 수를 사용하여 덧셈식을 완성하세요.

```
 3174            3 1 7 4
 2298          + 2 1 9 8
 3184            5 3 7 2
 2198
```

```
 1974            2 5 7 9
 2496          + 1 9 7 4
 1687            4 5 5 3
 2579
```

```
 1367            4 5 2 9
 4869          + 1 3 6 7
 4529            5 8 9 6
 1597
```

```
 3578            4 8 7 9
 3947          + 3 5 7 8
 4678            8 4 5 7
 4879
```

더하는 두 수의 순서를 바꾸어도 정답입니다.

3 ☐안에 알맞은 수를 쓰세요.

```
   4 9 4 7          4 9 0 8
 + 2 0 5 3        + 5 0 9 2
   7 0 0 0        1 0 0 0 0
```

4 도서관에 동화책이 2687권, 위인전이 1822권 있습니다. 도서관에 있는 동화책과 위인전은 모두 몇 권일까요?

🖩 **4509** 권

```
   2 6 8 7
 + 1 8 2 2
   4 5 0 9
```

5 준호는 동생과 함께 한 달 동안 저금을 하였습니다. 준호는 5830원, 동생은 3960원을 저금했다면 두 사람이 저금한 돈은 모두 얼마일까요?

🖩 **9790** 원

```
   5 8 3 0
 + 3 9 6 0
   9 7 9 0
```

234 **네 자리 수의 덧셈 (2)**

가로로 덧셈을 해 봅시다.

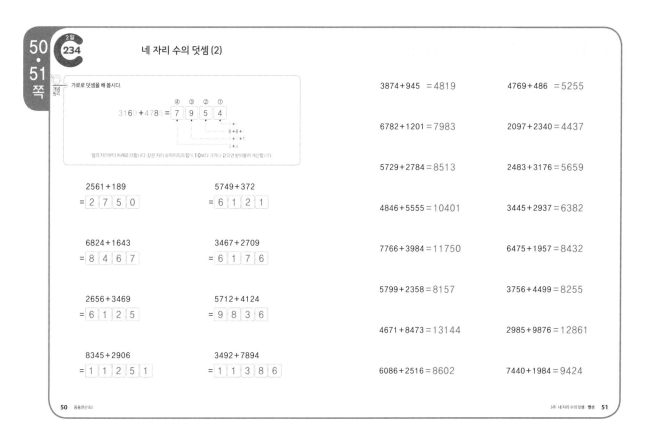

$$3169 + 4785 = \boxed{7}\boxed{9}\boxed{5}\boxed{4}$$

일의 자리부터 차례로 더합니다. 같은 자리 숫자끼리의 합이 10보다 크거나 같으면 받아올려 계산합니다.

2561 + 189
= 2 7 5 0

5749 + 372
= 6 1 2 1

6824 + 1643
= 8 4 6 7

3467 + 2709
= 6 1 7 6

2656 + 3469
= 6 1 2 5

5712 + 4124
= 9 8 3 6

8345 + 2906
= 1 1 2 5 1

3492 + 7894
= 1 1 3 8 6

3874 + 945 = 4819

4769 + 486 = 5255

6782 + 1201 = 7983

2097 + 2340 = 4437

5729 + 2784 = 8513

2483 + 3176 = 5659

4846 + 5555 = 10401

3445 + 2937 = 6382

7766 + 3984 = 11750

6475 + 1957 = 8432

5799 + 2358 = 8157

3756 + 4499 = 8255

4671 + 8473 = 13144

2985 + 9876 = 12861

6086 + 2516 = 8602

7440 + 1984 = 9424

응용연산

1 여러 가지 방법으로 계산한 것입니다. □ 안에 알맞은 수를 쓰세요.

2680 + 1295
= 2680 + 1300 − 5
= 3980 − 5 = 3975
1295를 더하는 대신 1300을 더하고 5를 뺍니다.

2680 + 1295
= (2600 + 1200) + (80 + 95)
= 3800 + 175 = 3975
2600과 1200의 합에 80과 95의 합을 더합니다.

3984 + 1520
= 4000 + 1520 − 16
= 5520 − 16 = 5504
3984를 4000 − 16으로 생각하여 4000에
1520을 더한 후 16을 뺍니다.

3984 + 1520
= (3900 + 1500) + (84 + 20)
= 5400 + 104 = 5504
3900과 1500의 합에 84와 20의 합을 더합니다.

2 올바른 식이 되도록 숫자 카드 2장의 순서를 바꾸어 식을 쓰세요.

➡ 1369 + 2457 = 3826

3 현주가 식료품 가게에서 산 물건 2개의 가격이 9300원입니다. 현주가 산 물건은 무엇일까요?

식 6800 + 2500 = 9300   답 과자 와 우유

4 승철이네 과수원에서는 사과를 어제 955개 땄고, 오늘은 1476개 땄습니다. 과수원에서 이틀 동안 딴 사과는 모두 몇 개일까요?

식 955 + 1476 = 2431   답 2431 개

5 다음은 여러 마을의 학생 수를 나타낸 표입니다. 물음에 맞는 식과 답을 쓰세요.

마을	아름 마을	초당 마을	푸른 마을	장미 마을
학생 수(명)	2378	3012	2987	1985

아름 마을과 푸른 마을의 학생은 모두 몇 명일까요?

식 2378 + 2987 = 5365   답 5365 명

학생 수가 가장 많은 마을과 가장 적은 마을의 학생은 모두 몇 명일까요?

식 3012 + 1985 = 4997   답 4997 명

54·55쪽

235 3일 네 자리 수의 뺄셈 (1)

네 자리 수의 뺄셈을 알아봅시다.

```
  5 2 4 2
-   7 3 7
  4 5 0 5
```

```
  9 3 7 2
- 6 7 1 3
  2 6 5 9
```

같은 자리의 숫자끼리 계산합니다. 같은 자리 숫자끼리 뺄 수 없으면 받아내림하여 계산합니다.

```
  5 5 4 5
-   3 7 2
  5 1 7 3
```

```
  1 5 1 1
-   7 6 8
    7 4 3
```

```
  7 3 2 6
-   8 9 7
  6 4 2 9
```

```
  6 9 0 4
- 4 4 7 3
  2 4 3 1
```

```
  7 2 8 6
- 2 5 3 7
  4 7 4 9
```

```
  5 7 2 8
- 3 3 7 8
  2 3 5 0
```

```
  4 2 3 4
- 1 6 7 9
  2 5 5 5
```

```
  9 0 1 4
- 5 3 3 5
  3 6 7 9
```

```
  7 2 4 1
-   3 9 8
  6 8 4 3
```

```
  3 6 7 4
-   8 9 7
  2 7 7 7
```

```
  6 0 3 0
-   5 7 2
  5 4 5 8
```

```
  3 7 4 5
- 1 2 2 6
  2 5 1 9
```

```
  5 9 0 1
- 3 7 9 0
  2 1 1 1
```

```
  6 1 9 5
- 1 8 2 3
  4 3 7 2
```

```
  5 1 8 6
- 2 9 3 7
  2 2 4 9
```

```
  8 7 6 9
- 5 8 9 3
  2 8 7 6
```

```
  7 5 2 0
- 1 1 9 9
  6 3 2 1
```

```
  6 5 2 4
- 2 9 2 5
  3 5 9 9
```

```
  7 7 1 0
- 1 7 9 3
  5 9 1 7
```

```
  8 1 3 6
- 1 2 4 8
  6 8 8 8
```

```
  4 5 7 3
- 2 5 4 4
  2 0 2 9
```

```
  9 1 0 2
- 3 7 7 7
  5 3 2 5
```

```
  8 0 3 0
- 5 9 3 9
  2 0 9 1
```

56·57쪽

응용연산

1 □안에 알맞은 수를 쓰세요.

```
  1 5 [4] 3
-   [2] 8 8
  1 2 5 5
```

```
  3 [2] 4 0
-   7 5 [4]
  2 4 8 6
```

```
  8 6 [2] 4
- 3 [4] 7 8
  5 1 4 6
```

```
  9 2 5 [3]
- [6] 9 7 8
  2 2 7 5
```

2 주어진 수 중 두 수를 사용하여 뺄셈식을 완성하세요.

```
5486      5 4 8 6
1765    - 3 9 7 6
3976      1 5 1 0
2976
```

```
1026      4 0 5 6
2886    - 2 8 8 6
3598      1 1 7 0
4056
```

```
8372      7 4 6 2
7462    - 2 8 6 5
2865      4 5 9 7
3752
```

```
2854      3 0 0 6
3006    - 1 9 7 8
5762      1 0 2 8
1978
```

더하는 두 수의 순서를 바꾸어도 정답입니다.

3 □안에 알맞은 수를 쓰세요.

```
  8 4 9 5
- 3 4 9 5
  5 0 0 0
```

```
  9 0 0 0
- 4 3 7 2
  4 6 2 8
```

4 백두산과 한라산의 높이의 차를 구하세요.

백두산: 2744 m   한라산: 1950 m

답 794 m

```
  2 7 4 4
- 1 9 5 0
    7 9 4
```

5 민주가 사는 아파트 단지는 5123가구이고 동하가 사는 아파트 단지는 2329가구입니다. 민주가 사는 아파트 단지는 동하가 사는 아파트 단지보다 몇 가구가 더 많을까요?

답 2794 가구

```
  5 1 2 3
- 2 3 2 9
  2 7 9 4
```

236 C 네 자리 수의 뺄셈 (2)

개념원리 가로로 뺄셈을 해 봅시다.

$$7236 - 2718 = \boxed{4}\boxed{5}\boxed{1}\boxed{8}$$

일의 자리의 숫자부터 차례로 뺄셈을 합니다. 같은 자리 숫자끼리 뺄 수 없으면 받아내림하여 계산합니다.

2655 − 837
= 1 8 1 8

5749 − 772
= 4 9 7 7

6824 − 1643
= 5 1 8 1

3467 − 2709
= 7 5 8

5894 − 1370
= 4 5 2 4

6408 − 2592
= 3 8 1 6

8345 − 2906
= 5 4 3 9

7894 − 3492
= 4 4 0 2

8374 − 2598 = 5776 7469 − 2486 = 4983

6782 − 1208 = 5574 4459 − 2340 = 2119

7590 − 2489 = 5101 6713 − 2483 = 4230

8464 − 5656 = 2808 5443 − 2938 = 2505

6677 − 4893 = 1784 8475 − 2312 = 6163

9975 − 2358 = 7617 8555 − 4756 = 3799

8473 − 4671 = 3802 9876 − 4985 = 4891

5436 − 1984 = 3452 6624 − 5209 = 1415

응용연산

1 여러 가지 방법으로 계산한 것입니다. □ 안에 알맞은 수를 쓰세요.

5003 − 895
= 5003 − 900 + 5
= 4103 + 5 = 4108
895를 빼는 대신 900을 빼고 5를 더합니다.

2172 − 867
= (2100−800) + (72 − 67)
= 1300 + 5 = 1305
2100과 800의 차와 72와 67의 차를 더합니다.

3428 − 1989
= 3428 − 2000 + 11
= 1428 + 11 = 1439
1989를 빼는 대신 2000을 빼고 11을 더합니다.

6515 − 2988
= 3515 + (3000 − 2988)
= 3515 + 12 = 3527
6515를 3515와 3000으로 나눈 후 3515에 3000과 2988의 차를 더합니다.

2 주어진 수 중 두 수를 사용하여 차가 가장 작게 나오도록 식을 만들어 보세요.

4812 3052 6110 7800   6110 − 4812 = 1298

7921 9042 4020 5912   9042 − 7921 = 1121

3 그림을 보고 윤하네 집에서 학교까지의 거리는 몇 m인지 구하세요.

1227 m
재석이네 윤하네 학교
549 m   ? m

식 1227 − 549 = 678   답 678 m

4 수직선을 보고 □ 안에 알맞은 수를 쓰세요.

575 1867
987 1562   3429

2011 1511
4532 6543 8054

5 공연 입장권이 3500장 있었습니다. 입장권이 1859장 팔렸다면 남은 입장권은 몇 장일까요?

식 3500 − 1859 = 1641   답 1641 장

형성평가

1 주어진 수 중 두 수를 사용하여 덧셈식을 완성하세요.

| 1998 |
| 1458 |
| 2546 |
| 2749 |

$$\begin{array}{r} 2\,5\,4\,6 \\ +\ 1\,9\,9\,8 \\ \hline 4\,5\,4\,4 \end{array}$$

| 4635 |
| 5759 |
| 4801 |
| 3567 |

$$\begin{array}{r} 5\,7\,5\,9 \\ +\ 3\,5\,6\,7 \\ \hline 9\,3\,2\,6 \end{array}$$

더하는 두 수의 순서를 바꾸어도 정답입니다.

2 ☐안에 알맞은 수를 쓰세요.

$$\begin{array}{r} 5\,3\,8\,4 \\ +\ \boxed{6}\,1\,\boxed{6} \\ \hline 6\,0\,0\,0 \end{array}$$

$$\begin{array}{r} \boxed{2}\,5\,9\,\boxed{2} \\ +\ 6\,4\,0\,8 \\ \hline 9\,0\,0\,0 \end{array}$$

3 올바른 식이 되도록 숫자 카드 2장의 순서를 바꾸어 식을 쓰세요.

$$\boxed{4}\ \boxed{5}\ \boxed{7}\ \boxed{1}\ +\ \boxed{3}\ \boxed{2}\ \boxed{6}\ \boxed{9} = 7741$$

➡ 4572 + 3169 = 7741

4 미주가 장난감 가게에서 산 물건 2개의 가격이 8200원입니다. 미주가 산 물건은 무엇일까요?

| 공 | 곰인형 | 오뚝이 | 로켓 |
| 2700원 | 3900원 | 6500원 | 4300원 |

답 3900 + 4300 = 8200   답 곰인형 과 로켓

5 주어진 수 중 두 수를 사용하여 뺄셈식을 완성하세요.

| 5027 |
| 1549 |
| 3786 |
| 2785 |

$$\begin{array}{r} 5\,0\,2\,7 \\ -\ 3\,7\,8\,6 \\ \hline 1\,2\,4\,1 \end{array}$$

| 5498 |
| 4768 |
| 3986 |
| 2765 |

$$\begin{array}{r} 4\,7\,6\,8 \\ -\ 2\,7\,6\,5 \\ \hline 2\,0\,0\,3 \end{array}$$

6 ☐안에 알맞은 수를 쓰세요.

$$\begin{array}{r} 9\,0\,0\,0 \\ -\ \boxed{8}\,1\,\boxed{1} \\ \hline 8\,1\,8\,9 \end{array}$$

$$\begin{array}{r} 3\,4\,2\,8 \\ -\ 2\,4\,2\,8 \\ \hline 1\,0\,0\,0 \end{array}$$

7 주어진 수 중 두 수를 사용하여 차가 가장 작게 나오도록 식을 만들어 보세요.

| 2859 3934 4568 5738 |

$$4568 - 3934 = 634$$

8 수직선을 보고 ☐안에 알맞은 수를 쓰세요.

| 2435 | 2435 |
1492   3927   6362

| 1376 | 3829 |
2756 4132   7961

9 상훈이는 용돈을 9800원 받았습니다. 장난감 가게에서 5730원짜리 장난감을 샀습니다. 남은 돈은 얼마일 까요?

답 9800 - 5730 = 4070   답 4070 원

네 자리 수 덧셈·뺄셈 활용

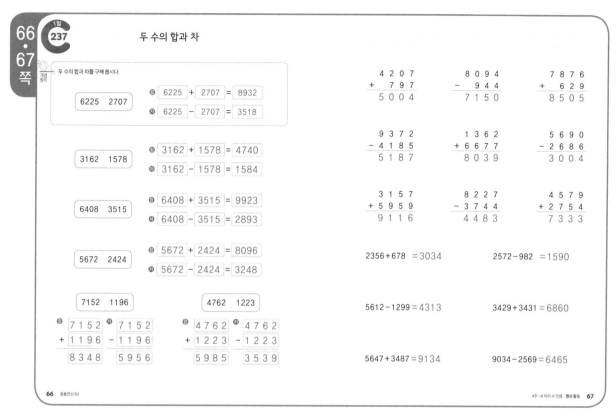

C 237 1일

두 수의 합과 차

두 수의 합과 차를 구해 봅시다.

| 6225 | 2707 |

⑮ 6225 + 2707 = 8932
⑯ 6225 − 2707 = 3518

| 3162 | 1578 |

⑰ 3162 + 1578 = 4740
⑱ 3162 − 1578 = 1584

| 6408 | 3515 |

⑲ 6408 + 3515 = 9923
⑳ 6408 − 3515 = 2893

| 5672 | 2424 |

㉑ 5672 + 2424 = 8096
㉒ 5672 − 2424 = 3248

| 7152 | 1196 | | 4762 | 1223 |

㉓
```
  7 1 5 2
+ 1 1 9 6
  8 3 4 8
```
㉔
```
  7 1 5 2
- 1 1 9 6
  5 9 5 6
```
㉕
```
  4 7 6 2
+ 1 2 2 3
  5 9 8 5
```
㉖
```
  4 7 6 2
- 1 2 2 3
  3 5 3 9
```

```
  4 2 0 7
+   7 9 7
  5 0 0 4
```
```
  8 0 9 4
-   9 4 4
  7 1 5 0
```
```
  7 8 7 6
+   6 2 9
  8 5 0 5
```

```
  9 3 7 2
- 4 1 8 5
  5 1 8 7
```
```
  1 3 6 2
+ 6 6 7 7
  8 0 3 9
```
```
  5 6 9 0
- 2 6 8 6
  3 0 0 4
```

```
  3 1 5 7
+ 5 9 5 9
  9 1 1 6
```
```
  8 2 2 7
- 3 7 4 4
  4 4 8 3
```
```
  4 5 7 9
+ 2 7 5 4
  7 3 3 3
```

2356 + 678 = 3034   2572 − 982 = 1590

5612 − 1299 = 4313   3429 + 3431 = 6860

5647 + 3487 = 9134   9034 − 2569 = 6465

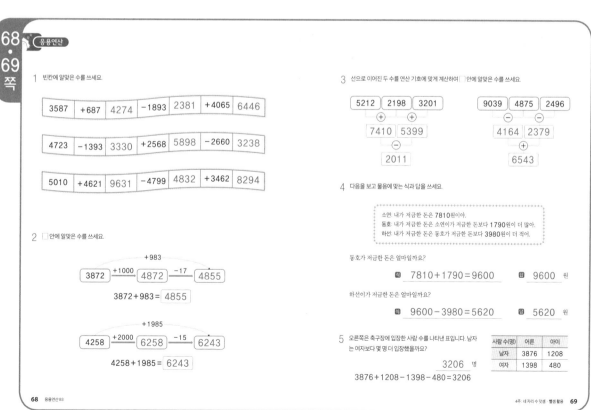

응용연산

1 빈칸에 알맞은 수를 쓰세요.

| 3587 | +687 | 4274 | −1893 | 2381 | +4065 | 6446 |

| 4723 | −1393 | 3330 | +2568 | 5898 | −2660 | 3238 |

| 5010 | +4621 | 9631 | −4799 | 4832 | +3462 | 8294 |

2 □ 안에 알맞은 수를 쓰세요.

```
        +983
3872 +1000 4872 −17 4855
```
3872 + 983 = 4855

```
        +1985
4258 +2000 6258 −15 6243
```
4258 + 1985 = 6243

3 선으로 이어진 두 수를 연산 기호에 맞게 계산하여 □안에 알맞은 수를 쓰세요.

| 5212 | 2198 | 3201 |
(+)   (+)
| 7410 | 5399 |
(−)
| 2011 |

| 9039 | 4875 | 2496 |
(−)   (−)
| 4164 | 2379 |
(+)
| 6543 |

4 다음을 보고 물음에 맞는 식과 답을 쓰세요.

소연: 내가 저금한 돈은 7810원이야.
동호: 내가 저금한 돈은 소연이가 저금한 돈보다 1790원이 더 많아.
하선: 내가 저금한 돈은 동호가 저금한 돈보다 3980원이 더 적어.

동호가 저금한 돈은 얼마일까요?

식 7810 + 1790 = 9600   답 9600 원

하선이가 저금한 돈은 얼마일까요?

식 9600 − 3980 = 5620   답 5620 원

5 오른쪽은 축구장에 입장한 사람 수를 나타낸 표입니다. 남자는 여자보다 몇 명 더 입장했을까요?

사람 수(명)	어른	아이
남자	3876	1208
여자	1398	480

3206 명

3876 + 1208 − 1398 − 480 = 3206

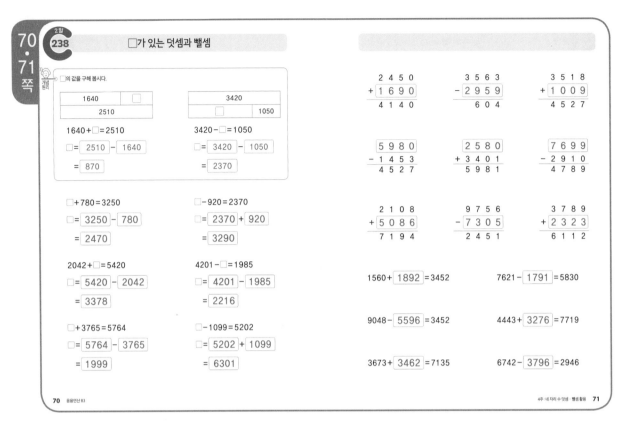

238 2일 C □가 있는 덧셈과 뺄셈

□의 값을 구해 봅시다.

1640	□
2510	

1640+□=2510
□= 2510 − 1640
= 870

3420	
□	1050

3420−□=1050
□= 3420 − 1050
= 2370

□+780=3250
□= 3250 − 780
= 2470

□−920=2370
□= 2370 + 920
= 3290

2042+□=5420
□= 5420 − 2042
= 3378

4201−□=1985
□= 4201 − 1985
= 2216

□+3765=5764
□= 5764 − 3765
= 1999

□−1099=5202
□= 5202 + 1099
= 6301

```
  2 4 5 0
+ 1 6 9 0
─────────
  4 1 4 0
```
```
  3 5 6 3
− 2 9 5 9
─────────
    6 0 4
```
```
  3 5 1 8
+ 1 0 0 9
─────────
  4 5 2 7
```
```
  5 9 8 0
− 1 4 5 3
─────────
  4 5 2 7
```
```
  2 5 8 0
+ 3 4 0 1
─────────
  5 9 8 1
```
```
  7 6 9 9
− 2 9 1 0
─────────
  4 7 8 9
```
```
  2 1 0 8
+ 5 0 8 6
─────────
  7 1 9 4
```
```
  9 7 5 6
− 7 3 0 5
─────────
  2 4 5 1
```
```
  3 7 8 9
+ 2 3 2 3
─────────
  6 1 1 2
```

1560+ 1892 =3452

7621− 1791 =5830

9048− 5596 =3452

4443+ 3276 =7719

3673+ 3462 =7135

6742− 3796 =2946

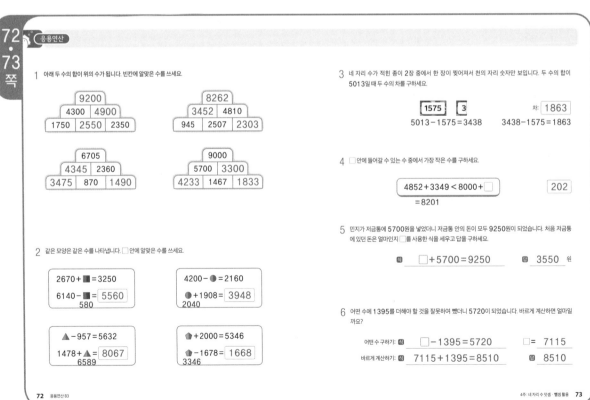

응용연산

1 아래 두 수의 합이 위의 수가 됩니다. 빈칸에 알맞은 수를 쓰세요.

9200	
4300	4900
1750	2550	2350

8262	
3452	4810
945	2507	2303

6705	
4345	2360
3475	870	1490

9000	
5700	3300
4233	1467	1833

2 같은 모양은 같은 수를 나타냅니다. □안에 알맞은 수를 쓰세요.

2670+■=3250
6140−■= 5560
580

4200−●=2160
●+1908= 3948
2040

▲−957=5632
1478+▲= 8067
6589

♠+2000=5346
♠−1678= 1668
3346

3 네 자리 수가 적힌 종이 2장 중에서 한 장이 찢어져서 천의 자리 숫자만 보입니다. 두 수의 합이 5013일 때 두 수의 차를 구하세요.

| 1575 | | 3 | | 차: 1863 |

5013−1575=3438   3438−1575=1863

4 □안에 들어갈 수 있는 수 중에서 가장 작은 수를 구하세요.

4852+3349<8000+□
=8201

202

5 민지가 저금통에 5700원을 넣었더니 저금통 안의 돈이 모두 9250원이 되었습니다. 처음 저금통에 있던 돈은 얼마인지 □를 사용한 식을 세우고 답을 구하세요.

식 □+5700=9250   답 3550 원

6 어떤 수에 1395를 더해야 할 것을 잘못하여 뺐더니 5720이 되었습니다. 바르게 계산하면 얼마일까요?

어떤 수 구하기: 식 □−1395=5720   □= 7115

바르게 계산하기: 식 7115+1395=8510   답 8510

239 숫자 카드 덧셈과 뺄셈

숫자 카드를 한 번씩 사용하여 만든 가장 큰 네 자리 수와 가장 작은 네 자리 수의 합과 차를 구해 봅시다.

| 3 5 / 6 2 | 가장 큰 수: 6532 | 6532 + 2356 = 8888 | 6532 - 2356 = 4176 |

| 5 1 / 8 6 | 가장 큰 수: 8651 / 가장 작은 수: 1568 | 8651 + 1568 = 10219 | 8651 - 1568 = 7083 |

| 1 7 / 3 5 | 가장 큰 수: 7531 / 가장 작은 수: 1357 | 7531 + 1357 = 8888 | 7531 - 1357 = 6174 |

| 2 3 / 4 8 | 가장 큰 수: 8432 / 가장 작은 수: 2348 | 8432 + 2348 = 10780 | 8432 - 2348 = 6084 |

3 8 0 5 6

8653 + 3056 = 11709 8653 - 3056 = 5597

9 1 4 7 2

9742 + 1247 = 10989 9742 - 1247 = 8495

1 3 4 6 0

6431 + 1034 = 7465 6431 - 1034 = 5397

8 6 7 5 2

8765 + 2567 = 11332 8765 - 2567 = 6198

숫자 카드를 한 번씩 사용하여 만들 수 있는 가장 큰 네 자리 수와 가장 작은 네 자리 수의 합과 차를 구하세요

응용연산

1 숫자 카드를 한 번씩 모두 사용하여 합이 가장 큰 네 자리 수끼리의 덧셈식과 차가 가장 큰 네 자리 수끼리의 뺄셈식을 만들고 계산하세요.

	가장 큰 합	가장 큰 차
3 2 0 4 / 5 6 7 9	9642 + 7530 = 17172	9765 - 2034 = 7731

2 주어진 숫자 카드 중 4장을 사용하여 네 자리 수를 만들려고 합니다. 물음에 답하세요.

1 0 6 4 7 8

만들 수 있는 가장 큰 네 자리 수와 가장 작은 네 자리 수의 합을 구하세요.

8764 + 1046 = 9810

답 9810

만들 수 있는 네 자리 수로 차가 가장 큰 식을 만들고 계산하세요.

8764 - 1046 = 7718

답 7718

3 승호와 정수는 자신의 숫자 카드를 한 번씩 사용하여 네 자리 수를 만듭니다. 물음에 맞는 식과 답을 쓰세요.

승호 7 3 5 0   정수 4 8 6 1

두 사람이 만든 네 자리 수의 합이 가장 작을 때의 값을 구하세요.

식 3057 + 1468 = 4525   답 4525

두 사람이 만든 네 자리 수의 차가 가장 클 때의 값을 구하세요.

식 7530 - 1468 = 6062   답 6062

4 주어진 숫자 카드를 한 번씩 사용하여 만들 수 있는 두 번째 큰 네 자리 수와 두 번째 작은 네 자리 수의 합과 차를 각각 구하세요.

5 0 8 1

합: 8501 + 1085 = 9586
차: 8501 - 1085 = 7416

5 숫자 카드 0 , 1 , 3 , 5 , 7 이 각각 1장씩 있습니다. 이 중 4장을 사용하여 만들 수 있는 백의 자리가 7인 가장 큰 네 자리 수와 가장 작은 네 자리 수의 합은 얼마일까요?

식 5731 + 1703 = 7434   답 7434

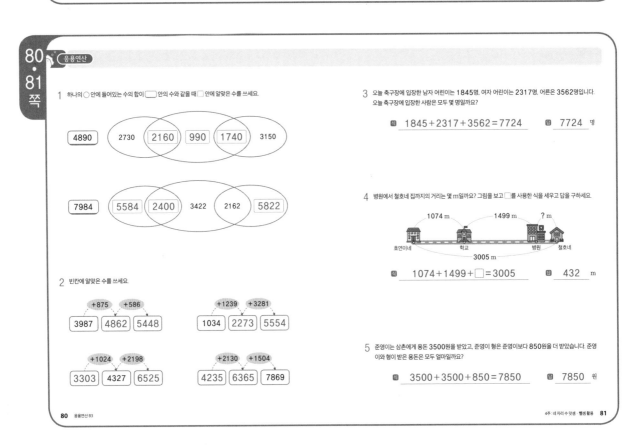

78·79쪽

C 240 · 4일

세 수의 덧셈

개념원리 세 수의 덧셈 방법을 알아봅시다.

$2145+5671+678=$ 8494

7816

8494

```
  1 1 1
  2 1 4 5
  5 6 7 1
+   6 7 8
  8 4 9 4
```

$3150+382+1248=$ 4780

3532

4780

```
  3 1 5 0
    3 8 2
+ 1 2 4 8
  4 7 8 0
```

$1560+4508+2034=$ 8102

6068

8102

```
  1 5 6 0
  4 5 0 8
+ 2 0 3 4
  8 1 0 2
```

$3026+2785+1899=$ 7710

5811

7710

```
  3 0 2 6
  2 7 8 5
+ 1 8 9 9
  7 7 1 0
```

```
  3 5 7 8
    7 6 9
+ 2 8 5 4
  7 2 0 1
```
```
  6 5 4 9
  1 4 5 8
+   7 9 4
  8 8 0 1
```
```
  1 6 3 9
  1 3 7 5
+ 2 6 9 7
  5 7 1 1
```

```
  4 1 0 9
    5 2 5
+ 1 2 4 7
  5 8 8 1
```
```
  1 5 6 9
  5 3 9 1
+   6 3 2
  7 5 9 2
```
```
  2 6 7 2
  4 0 7 0
+ 1 5 8 9
  8 3 3 1
```

```
  2 3 2 3
  4 1 7 7
+ 1 5 4 3
  8 0 4 3
```
```
  1 4 3 7
  6 5 4 3
+ 1 1 2 2
  9 1 0 2
```
```
  3 2 2 1
  1 8 4 2
+ 2 3 6 2
  7 4 2 5
```

$350+6420+1204=7974$　　$5350+740+1404=7494$

$2412+1871+3400=7683$　　$1350+2201+2400=6710$

$4502+1206+3786=9494$　　$1678+2457+1783=5918$

80·81쪽

응용연산

1 하나의 ◯ 안에 들어있는 수의 합이 ▢ 안의 수와 같을 때 ▢ 안에 알맞은 수를 쓰세요.

4890　2730　(2160)　990　(1740)　3150

7984　(5584)　(2400)　3422　2162　(5822)

2 빈칸에 알맞은 수를 쓰세요.

+875　+586
3987　4862　5448

+1239　+3281
1034　2273　5554

+1024　+2198
3303　4327　6525

+2130　+1504
4235　6365　7869

3 오늘 축구장에 입장한 남자 어린이는 1845명, 여자 어린이는 2317명, 어른은 3562명입니다. 오늘 축구장에 입장한 사람은 모두 몇 명일까요?

식 $1845+2317+3562=7724$　　답 7724 명

4 병원에서 철호네 집까지의 거리는 몇 m일까요? 그림을 보고 ▢를 사용한 식을 세우고 답을 구하세요.

1074 m　　1499 m　　? m

호연이네　학교　병원　철호네

3005 m

식 $1074+1499+▢=3005$　　답 432 m

5 준영이는 삼촌에게 용돈 3500원을 받았고, 준영이 형은 준영이보다 850원을 더 받았습니다. 준영이와 형이 받은 용돈은 모두 얼마일까요?

식 $3500+3500+850=7850$　　답 7850 원

형성평가

1 빈칸에 알맞은 수를 쓰세요.

| 5937 | +2394 | 8331 | −4736 | 3595 | +6412 | 10007 |

2 오른쪽은 농구장에 입장한 사람 수를 나타낸 표입니다. 남자는 여자보다 몇 명 더 입장했을까요?

3046 명

사람 수(명)	어른	아이
남자	2957	3826
여자	1952	1785

$2957 + 3826 - 1952 - 1785 = 3046$

3 아래 두 수의 합이 위의 수가 됩니다. 빈칸에 알맞은 수를 쓰세요.

7720	
3726	3994
1942	1784	2210

9537	
3836	5701
1053	2783	2918

4 네 자리 수가 적힌 종이 2장 중에서 한 장이 찢어져서 천의 자리 숫자만 보입니다. 두 수의 합이 7392일 때 두 수의 차를 구하세요.

| 3870 | 3 |

차: 348

$7392 - 3870 = 3522$ $3870 - 3522 = 348$

5 숫자 카드를 한 번씩 모두 사용하여 합이 가장 큰 네 자리 수끼리의 덧셈식과 차가 가장 큰 네 자리 수끼리의 뺄셈식을 만들고 계산하세요.

| 3 | 5 | 0 | 9 |
| 8 | 2 | 6 | 4 |

가장 큰 합

```
  9 6 4 2
+ 8 5 3 0
─────────
1 8 1 7 2
```

가장 큰 차

```
  9 8 6 5
− 2 0 3 4
─────────
  7 8 3 1
```

6 오늘 야구장에 입장한 남자 어린이는 2886명, 여자 어린이는 2416명, 어른은 3977명입니다. 오늘 야구장에 입장한 사람은 모두 몇 명일까요?

식 $2886 + 2416 + 3977 = 9279$ 답 9279 명

---

7 영재와 호준이는 자신의 숫자 카드를 한 번씩 사용하여 네 자리 수를 만듭니다. 물음에 맞는 식과 답을 쓰세요.

영재 | 6 | 4 | 2 | 8 |

호준 | 7 | 0 | 3 | 1 |

두 사람이 만든 네 자리 수의 합이 가장 작을 때의 값을 구하세요.

식 $2468 + 1037 = 3505$ 답 3505

두 사람이 만든 네 자리 수의 차가 가장 클 때의 값을 구하세요.

식 $8642 - 1037 = 7605$ 답 7605

8 빈칸에 알맞은 수를 쓰세요.

| 2995 | +1243 | 4238 | +2549 | 6787 |

| 3045 | +1947 | 4992 | +2884 | 7876 |

9 지호는 삼촌에게 용돈으로 3200원을 받았고, 영지는 지호보다 750원을 더 받았습니다. 지호와 영지가 받은 용돈은 모두 얼마일까요?

식 $3200 + 3200 + 750 = 7150$ 답 7150 원

> **"**
> # Numbers rule the universe.
> **"**

"수가 우주를 지배한다"

Pythagoras, 피타고라스